D1511682

1 000 BRICOLAGES POUR PETITES MAINS

1000 BRICOLAGES POUR PETITES MAINS

LE GRAND LIVRE DU BRICOLAGE · TOME 4

URSULA BARFF
INGE BURKHARDT

casterman

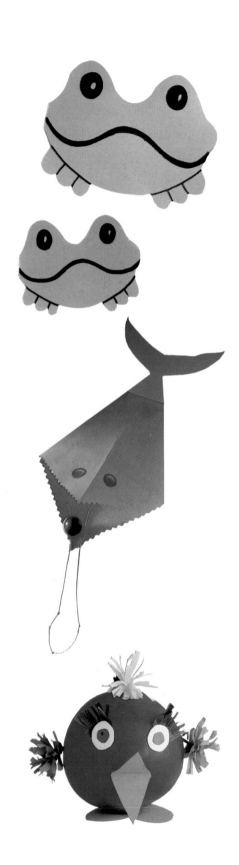

ISBN 2-203-14405-X

© 1991 Falken-Verlag GmbH, 6272 Niedernhausen/Ts

© Casterman 1992

Traduction Netword

Photos: Michael Zorn, Wiesbaden
Illustrations: Willi Engelhardt, Pulheim; Iris Prey, Hamburg;
Gerhard Scholz, Dornburg; Margret Zörner-Poor, Mainz
Epures du cahier de patrons: Ulrike Hoffmann, Bodenheim

Pour faciliter les recherches,
les différents chapitres de ce livre
sont ordonnés selon des thèmes particuliers
repris dans la table des matières.
Si vous n'êtes pas convaincu d'avoir trouvé
précisément la suggestion qu'il vous faut,
continuez à tourner les pages.
Vous pourrez repérer une idée sympa
pour décorer la chambre des enfants
dans le chapitre consacré
aux anniversaires ou aux marionnettes.
Il en va de même pour toutes les autres séquences.
Et si ce livre vous inspire
de nouvelles idées originales, il aura
vraiment rempli sa mission !

Bonne création !

Table des matières

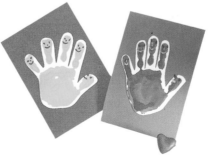

Bricoler
avec des enfants

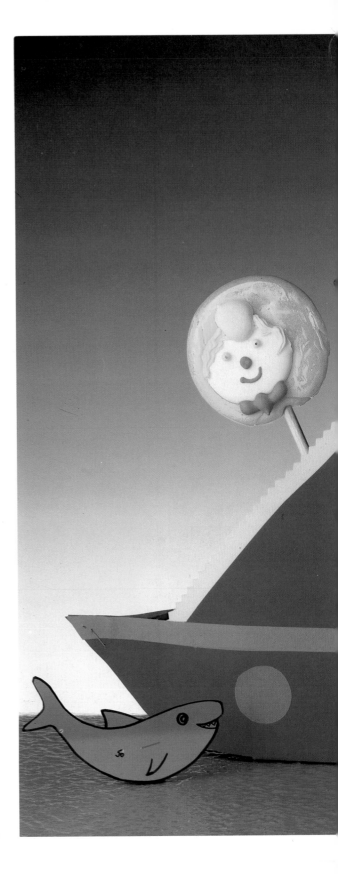

Un bambin de trois ans est assis
à notre table de travail; il déchire une
grande feuille de papier vert en petits
morceaux qu'il fixe — en mettant
beaucoup, beaucoup de colle —
sur une feuille de papier à dessin.
Il est totalement absorbé
dans son travail. Au bout de quelques
instants, nous lui demandons
ce qu'il fait.
Il répond avec un sourire rayonnant:
un " pré ! ". Le pré, ce n'était pas
la grande feuille carrée, mais l'image
animée qu'il créait, à son idée,
en déchirant et en collant
des bouts de papier.

C'est dans de tels moments
que nous pouvons nous rendre compte
à quel point les enfants sont pleins
d'imagination, à quel point ils voient
les choses autrement que les adultes.
Parfois de manière bien plus riche !
Nous n'oublierons jamais cette petite
conversation, pas plus que la joie
dans le regard de cet enfant.

Petit guide des matériaux

Le papier

Le papier est à la base de nombreux travaux de bricolage. En plus du papier blanc normal (pour machine à écrire), il existe de nombreuses autres qualités qu'on trouve surtout dans les magasins de bricolage. Les formats DIN, qui figurent parfois sur l'étiquette au lieu des dimensions en centimètres, se lisent comme suit:

DIN A4 : format normalisé du papier pour machine à écrire

DIN A5 : moitié du format du papier pour machine à écrire

DIN A6 : format d'une carte postale

DIN A3 : double du format du papier pour machine à écrire

Le tableau ci-dessous reprend toutes les qualités de papier dont il est question dans ce livre.

Qualité de papier	Propriétés	Conseils
Papier glacé	Brillant, nombreuses couleurs, verso gommé, feuilles de formats différents	Facile à déchirer et à découper; en vente dans les magasins de bricolage
Papier sulfurisé	Transparent, mince, vendu en rouleaux	Peut être utilisé au lieu du papier-calque pour reproduire des patrons; en vente dans les magasins d'alimentation
Papier cerf-volant	Translucide, nombreuses couleurs, vendu en feuilles	Peut être remplacé par du papier transparent; en vente dans les magasins de bricolage
Papier éléphant	Papier épais, translucide, à grosses veines, nombreuses couleurs, feuilles de format standard	Sert à la fabrication de lanternes; en vente dans les magasins de bricolage
Papier pliant	Papier mince, nombreuses couleurs, vendu en formats différents	En vente dans les magasins de bricolage
Carton pour photos	Carton mince, nombreuses couleurs, format normalisé.	En vente dans les magasins de bricolage ou les papeteries
Papier métallisé	Papier résistant, doré, argenté, rouge, bleu ou vert; vendu en rouleaux	En vente dans les magasins de bricolage ou les papeteries
Papier crépon	Structure crêpée, nombreuses couleurs, vendu en rouleaux	Attention: déteint au contact de l'eau ou de la colle (colle d'amidon), en vente dans les magasins de bricolage
Papier origami	Papier résistant, nombreuses couleurs, recto coloré, carré, vendu en formats différents, ressemble au papier pliant	Peut remplacer le papier pliant; en vente dans les magasins de bricolage
Papier-calque	Transparent, mince, résistant, ressemble au papier sulfurisé	En vente dans les papeteries.
Papier de soie	Très fin, légèrement transparent, nombreuses couleurs, feuilles de format normalisé	Attention: déteint au contact de l'humidité ou de la colle; en vente dans les magasins de bricolage
Papier silhouette	Recto noir, verso blanc, feuilles de formats différents	En vente dans les magasins de bricolage ou les papeteries
Papier à dessin	Carton mince, nombreuses couleurs, feuilles de format normalisé	En vente dans les magasins de bricolage
Papier transparent	Translucide, nombreuses couleurs, vendu en feuilles	En vente dans les magasins de bricolage
Papier feutré	Papier recouvert d'une matière semblable à du feutre, nombreuses couleurs, vendu en feuilles	En vente dans les magasins de bricolage
Carton ondulé	Carton souple à structure ondulée sur l'une des faces	Déchets gratuits, rassemblez les morceaux qui conviennent

Les couleurs

Les couleurs jouent un rôle important dans la majorité des travaux de bricolage. La plupart s'appliquent au pinceau.

Comme un bon pinceau coûte cher, prenez-en bien soin. Ne le rangez jamais la tête en bas et veillez à le nettoyer soigneusement après chaque utilisation.

Pour certains types de couleurs, comme les peintures laquées, vous aurez besoin d'un détachant spécial.

Le tableau ci-dessous reprend toutes les couleurs citées dans ce livre.

Couleurs	Propriétés	Conseils
Peinture à doigts	Elle couvre bien; peut s'appliquer sur de grandes surfaces, lavable	En vente dans les magasins de bricolage
Peinture laquée	Couvre bien; sèche lentement, laisse des taches indélébiles sur les vêtements	En vente dans les magasins de peinture ou de bricolage
Peinture vinyle	Couvre bien; sèche très lentement	En vente dans les magasins de bricolage ou les papeteries
Peinture acrylique	Très couvrante, grand teint, s'enlève difficilement des vêtements	En vente dans les magasins de bricolage
Teinture pour tissus	A utiliser uniquement pour les textiles, se lave bien avant le repassage	En vente dans les magasins de bricolage
Pastels gras	Crayons de couleur, couleurs brillantes et vives	Choisissez de préférence des crayons non toxiques à la cire d'abeille; en vente dans les magasins de bricolage ou les papeteries
Gouache	Moyennement couvrante, s'estompe facilement, se lave sans problème	En vente dans les magasins de bricolage ou les papeteries

Matériaux qui ne coûtent rien

En parcourant la liste des matériaux utilisés dans ce livre, vous constaterez que de nombreux articles font partie du ménage ou sont généralement destinés à la poubelle. Prévoyez donc une caisse ou une boîte pour y conserver ces "matériaux sans valeur". Vous pouvez y ranger :

- des cartes postales,
- des couvercles à visser,
- des restes de rideaux,
- de vieilles ampoules,
- des bouts de bois et les planchettes,
- des bougies,
- des boutons,
- des rouleaux d'essuie-tout vides,
- des boîtes d'allumettes vides,
- des tonnelets de lessive vides avec leur couvercle,
- des chutes de tissu,
- des restes de fourrure,
- de vieux carreaux de verre,
- des élastiques,
- des pots de yaourt vides
- des boîtes de fromages de toutes sortes,
- des capsules,
- de vieilles chaussettes,
- des bouts de tissu,
- des chauffe-plats,
- des rouleaux de papier de toilette vides,
- des restes de papier peint,
- une vieille passoire à thé,
- des bouchons de liège,
- des coquilles de noix,
- des restes de laine,
- de vieilles brosses à dents.

Les matériaux naturels cités dans ce livre peuvent presque tous être récoltés lors de promenades dans les champs et dans les bois. Toutefois, prenez soin de les ranger dans un endroit aéré, par exemple une caisse à claire-voie ou un carton percé de trous, pour éviter qu'ils ne moisissent. Pour sécher les herbes et les fleurs, suspendez-les d'abord par la tige avant de les ranger dans la caisse. Voici quelques idées de matériaux à rassembler :

- des feuilles décoratives,
- des fleurs,
- des glands avec leurs cupules,
- des baies d'églantier,
- de la mousse,
- de l'écorce,
- des amadouviers,
- des cupules de faînes,
- des plumes,
- des herbes,
- des noisettes et leurs enveloppes,
- des pommes de pin.

Autres matériaux à acheter

Outre le papier et les couleurs, vous devrez vous procurer une série d'articles dans un magasin de bricolage ou d'outillage.

Les matériaux principaux sont repris dans le tableau ci-dessous.

Vous trouverez certains d'entre eux, comme le fil de fer, dans votre boîte à outils ou dans la cave; comme nos réalisations demandent rarement des quantités importantes, vous pourrez le plus souvent récupérer les chutes.

Les matériaux à se procurer.

Article	Description	Conseils
Pince à bricoler	La moitié d'une pince à linge en bois	En vente dans les magasins de bricolage
Fil de fer pour fleurs	Fil de fer flexible et fin	En vente chez les fleuristes ou dans les magasins de bricolage
Fil de fer	Existe en différents diamètres, peut être courbé au moyen d'une pince plate	En vente dans les magasins de bricolage ou d'outillage
Tourillon à chevilles	Moulure de bois ronde, diamètre et longueur au choix	En vente dans les magasins d'outillage.
Feutre	Tissu, nombreuses couleurs; ne s'effiloche pas'	En vente dans les merceries ou les magasins de bricolage.
Anneaux pour rideaux	Anneaux de bois ronds, différents diamètres et épaisseurs	En vente dans les magasins de rideaux
Ruban pour cadeaux	Ruban synthétique, nombreuses couleurs, différentes largeurs; vendu au mètre	En vente dans les boutiques de cadeaux ou les merceries
Plâtre	Poudre blanche à délayer dans de l'eau, durcit rapidement	En vente dans les magasins d'outillage
Granulés	Poudre cristalline, incolore ou multicolore, fond au four	En vente dans les magasins de bricolage
Perles en bois	Perles en bois naturel ou teint, différents diamètres, trouées au milieu	En vente dans les magasins de bricolage
Ruban élastique	Elastique fort, nombreuses couleurs, vendu en rouleaux	En vente dans les magasins de bricolage ou les merceries

Article	Description	Conseils
Bougeoir	Bougeoir métallique pour lanternes, peut être fixé au fond de la lanterne	En vente dans les magasins de bricolage.
Papier collant	Transparent, vendu en rouleaux	En vente dans les magasins de bricolage ou les papeteries.
Laine brute	Laine non filée et non lavée, de couleur naturelle ou teinte, semblable à de l'ouate	En vente dans les magasins de bricolage.
Fibres artificielles	Fibres artificielles de papier, de couleur verte	En vente dans les magasins de bricolage.
Sacs poubelles en papier	Très grands sacs de papier résistant	En vente dans les drogueries, ne se trouvent que dans certaines régions
Cure-pipe	Fil de fer entouré de poils synthétiques, nombreuses couleurs	En vente dans les tabacs ou les magasins de bricolage
Détachant pour pinceaux	Dissolvant universel; attention : toxique !	En vente dans les magasins de peinture ou de bricolage
Ponal express	Colle à bois, sèche rapidement	En vente dans les magasins de bricolage ou d'outillage
Colle pour bricolage	Colle liquide, prend rapidement, forte, s'élimine au lavage	En vente dans les magasins de bricolage ou les papeteries
Ruban de ramie	Semblable au raphia, repassé à plat, différentes largeurs, vendu en bottes	En vente dans les magasins de bricolage
Toile de jute	Tissu utilisé pour la fabrications des sacs de pommes de terre, vendu au mètre	En vente dans les magasins de textiles ou de bricolage
Ruban de velours	Rubans de différentes largeurs, nombreuses couleurs, vendu au mètre	En vente dans les magasins de textiles
Film autocollant	Film transparent, recto brillant, verso adhésif, vendu au mètre	En vente dans les papeteries ou les magasins de bricolage
Brochettes	Baguettes de bois d'environ 18 cm de long, taillées en pointe à l'une des extrémités	En vente dans les magasins d'articles de ménage ou de bricolage
Vernis en atomiseur	Vernis transparent en atomiseur, peut s'appliquer sans pinceau, toxique	En vente dans les magasins de bricolage
Colle d'amidon	Poudre à diluer dans de l'eau en suivant le mode d'emploi indiqué sur l'emballage; convient pour le papier, s'élimine au lavage.	En vente dans les magasins d'outillage ou de bricolage
Argile	Pâte blanche, brun clair ou brun foncé, à conserver dans un endroit humide, vendue uniquement au kilo	En vente chez les potiers ou dans les magasins de bricolage
Email de potier	Poudre à préparer en suivant le mode d'emploi, brillante et imperméable après la cuisson	En vente chez les potiers ou dans les magasins de bricolage
Fleurs séchées	Fleurs séchées de toutes sortes, colorées, fragiles	A récolter ou à se procurer chez un fleuriste
Boules d'ouate	Boules d'ouate pressée, différentes grosseurs, blanches, légères	En vente dans les magasins de bricolage

Reproduire un patron

Il n'est pas donné à tout un chacun d'être artiste peintre; il arrive bien souvent qu'un ouvrage achevé ne corresponde pas tout à fait à l'idée qu'on s'en faisait, simplement parce que le dessin n'était pas tout à fait au point.

Pour vous aider, vous trouverez dans ce livre les patrons des réalisations les plus difficiles à dessiner. Ils figurent en regard de l'ouvrage correspondant ou, lorsqu'ils sont trop grands, dans le cahier qui commence à la page 211.

Les patrons qui dépassent le format du livre sont repris dans la grande feuille située à la fin du volume.

Pour reproduire un patron, vous avez le choix entre deux méthodes :

Reproduction au papier-calque

Le papier-calque est un papier transparent et résistant qu'on peut se procurer dans les papeteries. Les bureaux d'architectes utilisent fréquemment ce type de papier, appelé aussi papier cristal; vous pourriez peut-être y obtenir des chutes gratuitement. Vous pouvez aussi remplacer le papier-calque par du papier sulfurisé, aux propriétés presque identiques, mais plus fin et moins résistant. Outre le papier-calque, ce procédé de reproduction ne demande qu'un crayon à mine tendre.

1. Placez le papier sur le patron à reproduire et suivez toutes les lignes au crayon. Veillez à ce que le papier-calque ne se déplace pas.

2. Avant de retirer le papier, vérifiez si vous avez bien reproduit toutes les lignes. Alors seulement, retirez le papier-calque du patron.

3. Retournez le papier et placez-le sur le carton sur lequel vous voulez reproduire le patron. Les lignes tracées au crayon sont maintenant en contact avec le nouveau matériau.

4. Redessinez les lignes en appuyant très fort. Comme vous avez utilisé un crayon à mine tendre, le contour se reporte sur le papier ou le carton. Le dessin souhaité apparaît. Vérifiez si vous avez bien reproduit toutes les lignes avant de découper le modèle.

Reproduction au papier carbone

Le papier carbone existe en noir et en blanc. Vous en trouverez dans les papeteries : il sert généralement à faire des copies de lettres. Pour vous procurer du papier carbone blanc ou clair, adressez-vous à un magasin de bricolage. Ce papier sera nécessaire si vous voulez reproduire un patron sur un fond sombre. Quelle que soit sa couleur, le papier carbone peut être utilisé plusieurs fois. Ne prenez une nouvelle feuille que lorsque la couleur de la précédente est vraiment usée.

1. Placez devant vous la feuille de papier ou de carton sur laquelle vous voulez reproduire votre patron. Placez sur la feuille le papier carbone, la face noircie tournée vers le bas, et le patron à reproduire.

2. Pour éviter que les trois feuilles ne se déplacent ou ne glissent, agrafez-les avant de commencer votre travail.

3. Suivez au crayon les contours de votre modèle. Les lignes sont directement reproduites sur la feuille du dessous. Avant de retirer le carbone, vérifiez encore si vous n'avez pas oublié l'une ou l'autre petite ligne avant de découper le modèle.

Comment utiliser ce livre

L'ouvrage est divisé en douze chapitres. Chacun de ceux-ci contient différentes propositions réunies autour d'un thème. Cette articulation du livre a pour but d'aider l'utilisateur à trouver rapidement une réalisation correspondant à ce qu'il souhaite. Cependant, rien ne vous empêche de procéder de tout autre façon. Comme tous les ouvrages sont illustrés par de grandes photos en couleurs, vous pouvez vous inspirer de ces images pour vos propres réalisations sans tenir compte de l'occasion ou de la période de l'année. Vous n'aurez pas de mal à trouver chez vous la plupart des matériaux nécessaires. Ayez toujours à la maison les articles suivants, dont vous aurez fréquemment besoin :

des ciseaux,
des aiguilles à coudre
et à repriser,
du fil,
des crayons à mine tendre,
un taille-crayon,
une gomme,
une règle ou une équerre,
des restes de laine,
des bouts de tissu,
du papier,
de la colle
du papier-calque
ou du papier sulfurisé,
des restes de carton,
du vernis transparent
en atomiseur.

Chacun des ouvrages proposés est accompagné d'une liste des matériaux nécessaires à sa réalisation. Préparez toujours tout le matériel indispensable pour ne pas devoir interrompre votre travail, faute d'un matériau ou d'un outil approprié.

De nombreux modèles sont à base de "déchets" récupérés, comme des pots de yaourt ou des rouleaux de papier hygiénique vides. Les articles à acheter dans un magasin de bricolage sont indiqués et expliqués dans les listes des pages 10 et suivantes.

Le degré de difficulté varie d'une réalisation à l'autre. Les modèles faciles, à la portée d'enfants de trois ou quatre ans, sont encadrés de jaune.

Les ouvrages un peu plus difficiles et demandant une certaine adresse sont encadrés de vert.

Les réalisations destinées aux enfants plus âgés, jusqu'à environ 10 ans, sont encadrées de rouge.

Cette gradation a été conçue dans le but d'éviter que l'enfant ne perde le goût du bricolage en s'attaquant à des travaux trop difficiles et complexes, dont le résultat le décevra.

Si les tout-petits, ne sachant pas lire, auront besoin de l'aide d'un parent, ou d'un frère ou sœur plus âgés pour leur expliquer ce qu'il faut faire, le travail lui-même est si simple que le modèle ne manquera pas de réussir.

Bien entendu, cette gradation en fonction de la difficulté n'est pas plus contraignante que la subdivision de ce livre en chapitres.
A chacun de décider à quel ouvrage il veut s'attaquer; ce qui compte, en définitive, c'est le plaisir qu'on prendra à le réaliser.

Pour qu'un travail ne risque pas d'échouer en raison d'un manque de talent du dessinateur, nous avons repris dans ce livre des patrons à reproduire pour tous les ouvrages difficiles à dessiner.

Ces patrons sont de même grandeur que l'original et peuvent être immédiatement décalqués.
La plupart se trouvent dans le cahier qui commence à la page 211.
Pour chaque réalisation, nous avons indiqué à quelle page chercher le patron correspondant.
Tous sont accompagnés d'une légende et, là où plusieurs couleurs se superposent, se distinguent par des couleurs différentes.

Comme une lettre à la poste !

Il y a tant d'occasions de donner
ou d'envoyer une carte: inviter vos amis
à un anniversaire, à un après-midi
de bricolage, à un goûter de carnaval
ou à une fête au jardin; souhaiter bonne
fête à quelqu'un d'une manière originale
ou lui dire un petit mot gentil.

Vous trouverez ici autant d'idées
de cartes qu'il y a d'occasions
de les envoyer. Si vous ne trouvez pas
dans ce chapitre la suggestion
qui vous convient, ne vous découragez
pas : regardez plus loin,
il y a beaucoup d'images et de motifs
qui feront de superbes cartes de vœux.

Carte-chouette

- du papier à dessin orange, brun ou brun clair (20 x 20 cm)
- du papier-calque
- un crayon
- des ciseaux
- un crayon-feutre brun ou noir
- de petits ciseaux pointus ou un couteau de cuisine
- un petit billet

Faites confiance à la chouette pour transmettre vos messages secrets et mystérieux. Elle est fabriquée en un tournemain, par les moyens les plus simples qui soient.

1. A l'aide d'un crayon et d'une feuille de papier carbone, recopiez la chouette de cette page. Copiez soigneusement toutes les lignes.

2. Découpez-la en suivant le tracé des contours.

3. Epaississez toutes les lignes de la chouette au crayon-feutre. Coloriez les yeux. Ajoutez çà et là quelques plumes.

4. A l'aide de ciseaux pointus, découpez une fente de chaque côté du bec, de la base jusqu'à la pointe, en suivant les pointillés. Ne découpez pas la pointe elle-même.

5. Faites un rouleau bien serré avec le billet d'invitation.

6. Soulevez un peu le bec avec la pointe d'un crayon et glissez le rouleau dans les fentes. On dirait maintenant que la chouette tient un message dans son bec.

Carte-grenouille

- du papier à dessin vert
  (28 x 11 cm)
- du papier-calque
- des ciseaux
- un crayon-feutre

Voici une joyeuse grenouille qui mettra tout le monde de bonne humeur en apportant une invitation à une fête estivale.

1. Décalquez le patron de la grenouille et reproduisez-le sur le papier à dessin vert en procédant comme suit :

2. Pliez le papier à dessin en deux pour former une carte à double volet. Reproduisez la grenouille sur le papier en plaçant le côté gauche directement sur le pli.

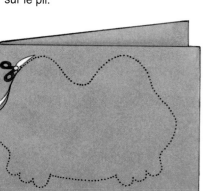

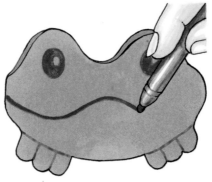

5. Vous pouvez écrire le texte de l'invitation directement sur le papier à dessin à l'intérieur de la carte.

6. Encore une idée :
En réduisant la taille du modèle, vous ferez de petits cartons de table au nom de vos invités.

3. Découpez deux fois le contour de la grenouille en partant du pli. Mais attention, celui-ci doit rester intact, sinon vous obtiendriez deux morceaux au lieu d'une seule carte !

4. Avec un crayon-feutre, ajoutez les yeux, la bouche et les pattes de la grenouille.

Cartes à feuilles

- des feuilles de différentes plantes
- du papier pour machine à écrire blanc ou de couleur (format DIN A4)
- des pastels gras
- une feuille de papier à dessin
- des ciseaux
- un bâton de colle
- une règle
- un crayon

Des cartes décorées de feuilles seront particulièrement appropriées pour inviter vos amis à une fête automnale, lorsque les feuilles commencent déjà à tomber. La réalisation est d'une grande simplicité !

1. Rassemblez le plus possible de feuilles différentes; elles ne doivent pas être plus grandes qu'une carte postale.

2. Ensuite, préparez les cartes : à l'aide de la règle, tracez sur le papier à dessin des rectangles de format A5 (21 x 15 cm).

3. Découpez les rectangles et pliez-les en deux pour former des cartes à double volet.

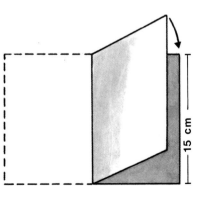

4. Placez une feuille sur la table, les nervures vers le haut. Placez le papier blanc ou de couleur sur la feuille, qui doit se trouver sous le coin supérieur gauche.

5. Maintenez fermement le papier d'une main, tandis que de l'autre, vous frottez la feuille à travers le papier au moyen d'un pastel gras. Insistez sur les bords et sur le pétiole de la feuille, pour que les contours soient bien visibles.

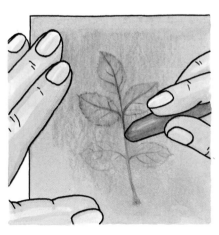

6. Passez maintenant au coin supérieur droit du papier. Placez dessous une seconde feuille, les nervures également tournées vers le haut, et frottez de nouveau avec un pastel gras.

7. Procédez de la même manière pour les deux coins inférieurs du papier. Une feuille de papier vous permet ainsi de créer quatre images.

8. Pliez le papier en deux, d'abord dans le sens de la longueur, puis dans celui de la largeur. Découpez-le en suivant les plis.

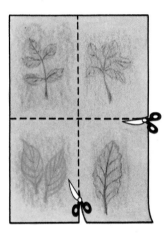

9. Collez les 4 images sur les 4 cartes à double volet préparées à l'avance. Il vous reste de la place à l'intérieur pour écrire le texte de votre invitation. Bon amusement

Invitations-puzzle

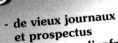

- de vieux journaux et prospectus
- des dessins d'enfants (18 x 18 cm)
- du papier à dessin
- une règle
- des ciseaux
- de la colle pour bricolage
- des crayons-feutres
- un crayon
- du papier carbone

Voici de quoi éveiller la curiosité : que dit ce message qui vient d'arriver dans une enveloppe remplie de petites pièces de puzzle ? Vous trouverez pour chaque occasion des dessins d'enfants ou des collages à réutiliser pour ce genre d'invitation. Qu'il s'agisse d'un anniversaire, d'un goûter de carnaval, d'une fête au jardin en été, d'un spectacle de marionnettes ou d'un bonhomme de neige à faire tous ensemble, dans tous les cas, vos invités ne manqueront pas d'être intrigués !

1. Découpez d'abord, dans un dessin d'enfant, une photo, un prospectus ou une revue, un rectangle de 18 x 12 cm. Collez celui-ci sur un rectangle de papier à dessin de 21 x 15 cm. Bien entendu, vous pouvez faire un dessin directement sur le papier de la carte.

2. Ecrivez le texte de l'invitation sur l'envers du papier à dessin ou sur le dessin lui-même. Dans nos exemples, le texte indiquant l'heure et le lieu de la fête pourrait trouver sa place à l'intérieur du ballon, du cornet à glace, de la grosse boule du bonhomme de neige ou du grand paquet.

3. Découpez la feuille en morceaux. Si l'invitation est destinée à un tout jeune enfant, faites un petit nombre de morceaux assez grands; pour un enfant plus âgé, vous pouvez sans crainte découper l'invitation en une multitude de petites pièces.

4. Reportez le modèle de l'enveloppe sur une feuille de papier à dessin de même couleur et découpez-la. Pliez le papier à dessin vers l'intérieur en suivant les pointillés et enduisez les bords d'un peu de colle pour assembler l'enveloppe.

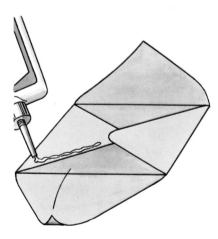

Cartes à fruits

- du papier à dessin
  (10 x 12 cm)
- du papier-calque
- un crayon
- une revue
- une grosse aiguille
- du papier à dessin
  (10 x 24 cm)
- de la colle universelle

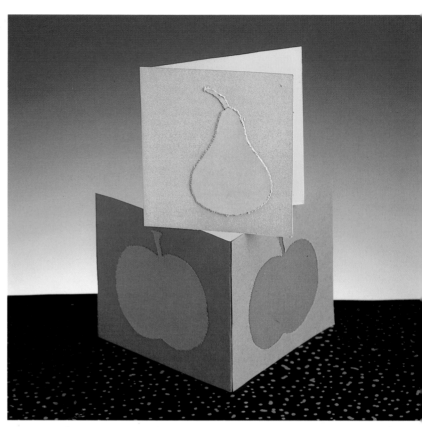

Façonner ces cartes peut être une activité amusante pour des petits. Il leur faudra cependant un peu de patience.

1. A l'aide d'un crayon et d'un morceau de papier-calque, reportez le modèle souhaité de la page 215 sur le petit rectangle de papier à dessin.

2. Placez le papier à dessin sur une revue et prenez l'aiguille pour faire des trous bien serrés en suivant la ligne.

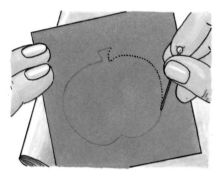

4. Prenez maintenant le grand rectangle de papier à dessin, découpé dans une couleur contrastée, placez-le devant vous sur la table et rabattez les petits côtés l'un sur l'autre.

5. Enduisez d'un peu de colle l'envers du petit rectangle d'où vous avez extrait le fruit et placez-le sur l'une des moitiés du grand rectangle.

6. Collez le fruit découpé sur la seconde moitié de la carte.

7. Pliez la carte de telle manière que les fruits se trouvent à l'extérieur. A l'intérieur, vous avez de la place pour écrire le texte de l'invitation.

3. Lorsque vous aurez piqué tout le pourtour du fruit, extrayez-le délicatement de la feuille. S'il tient encore à certains endroits, remettez votre travail sur la revue pour ajouter quelques trous.

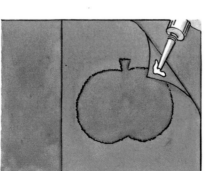

Enveloppe

Et si vous fabriquiez vous-même vos enveloppes ? Vous pouvez employer du papier cadeau ou toute autre qualité de papier. Comment faire ? C'est tout simple.

1. Dessinez sur l'envers du papier cadeau un carré de 20 cm de côté et découpez-le.

2. Pour trouver le centre, rabattez deux côtés opposés l'un sur l'autre, puis dépliez de nouveau le carré.

Procédez de la même façon pour les deux autres côtés.

3. Le centre est à l'endroit où les deux plis se croisent. Repliez sur ce point deux coins opposés du carré.

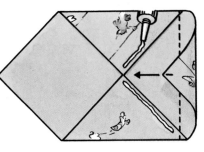

5. Le quatrième coin servira à fermer l'enveloppe.

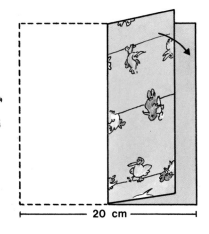

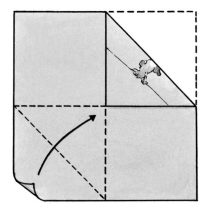

4. Repliez un troisième coin assez loin au-delà du centre pour pouvoir le coller bien solidement sur les deux coins déjà pliés.

20 cm

Le cirque est arrivé !

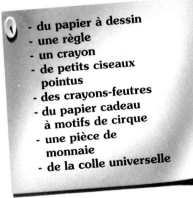

- du papier à dessin
- une règle
- un crayon
- de petits ciseaux pointus
- des crayons-feutres
- du papier cadeau à motifs de cirque
- une pièce de monnaie
- de la colle universelle

Les enfants adorent jouer au cirque. Pourquoi ne pas organiser une fête sur ce thème à la maison, au jardin d'enfants, à l'école ou au cercle ? L'invitation éveillera leur curiosité : quelles surprises leur réserve-t-on ?

1. Mesurez sur une feuille de papier à dessin un rectangle de 30 x 10,5 cm et découpez-le. Pliez-le en deux en rabattant les petits côtés l'un sur l'autre pour former une carte à double volet.

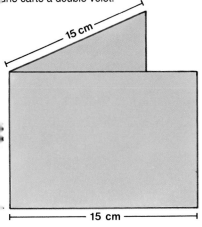

2. Mesurez à la règle une marge de 3 cm dans le bas et faites 2 marques. Mesurez de la même façon 3,5 cm à partir du haut, 2 cm à partir du bord gauche et 3 cm à partir du bord droit. Faites chaque fois 2 marques. Tracez des lignes entre ces points pour créer une fenêtre.

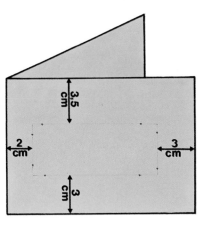

3. Découpez cette fenêtre avec de petits ciseaux pointus; ouvrez les côtés et le bas en laissant le bord supérieur intact.

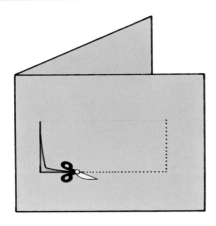

4. Dessinez le cadre au crayon-feutre. Coloriez toute la roulotte de couleurs vives. Vous pouvez faire une cheminée en papier à dessin pour la coller sur le toit. Inscrivez dans l'espace sous la fenêtre le thème de la fête, par exemple : "Le cirque est arrivé !"

5. Si vous avez trouvé du papier cadeau à motifs liés au cirque (lions, éléphants, chevaux, singes, clowns, trapézistes...), découpez un rectangle un peu plus grand que la fenêtre et collez-le derrière celle-ci.

6. Servez-vous d'un crayon pour enrouler le volet et découpez le bord de ce dernier en petites franges.

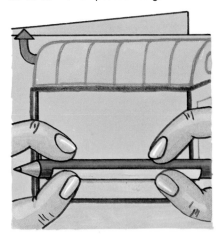

7. Il ne manque plus que les roues. Dessinez-en une sur le papier à dessin en suivant au crayon le contour d'une pièce de monnaie. Découpez le cercle. Répétez l'opération et collez les deux cercles à l'endroit des roues.

8. Ecrivez le texte de l'invitation, sans oublier le lieu et l'heure de la fête. Votre carte peut partir à la poste.

Bon travail et bonne fête !

- du carton pour photos
- un crayon
- une règle
- des ciseaux
- du papier cadeau multicolore
- de la colle universelle Pritt
- du papier-calque
- un compas
- un stylo à bille

Carte-papillon

Ce superbe papillon en relief, posé sur sa corolle de papier, produit un effet très décoratif. Pour le papier à dessin, choisissez une couleur assortie à celles du papier cadeau.

1. Placez une soucoupe retournée sur l'envers du papier cadeau et dessinez un cercle en suivant le rebord. Répétez l'opération pour obtenir un second cercle.

2. Découpez les deux cercles.

3. Pliez-les pour former les ailes du papillon. Commencez à l'extrémité du cercle et pliez une bande de 0,8 à 1 cm de large vers l'intérieur. Retournez le travail et pliez une bande de même largeur à l'extrémité opposée. Répétez l'opération pour plier tout le cercle en accordéon.

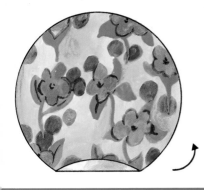

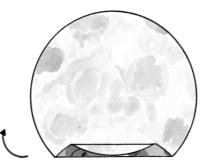

4. Procédez de même pour le second cercle.

5. Décalquez le modèle de la corolle de la page 213 et reportez-le sur un reste de papier à dessin.

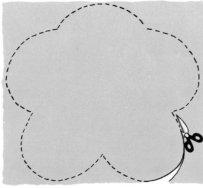

6. Découpez la fleur. Placez dessus les deux ailes pliées comme indiqué sur l'illustration. Pressez de l'index le milieu d'un des côtés de l'accordéon en laissant l'autre bien droit. Placez la seconde aile en face de la première en laissant entre elles un intervalle d'environ 1 cm.

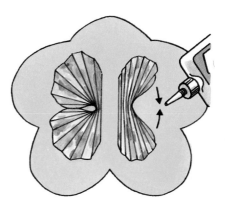

7. Dessinez maintenant au crayon-feutre le corps et les antennes du papillon. Ensuite seulement, collez les ailes.

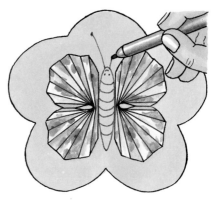

8. Pour terminer, collez la corolle et le papillon sur une feuille de papier à dessin de format A4 de couleur assortie.

Voici cette superbe image terminée. Vous pouvez écrire un message tout autour du papillon; mais vous pouvez aussi en faire une décoration murale.

Cartes batik

Le batik est une belle technique qui reste à la portée de tous les enfants. En se mélangeant sur les cartes, les couleurs produisent des motifs inédits; le hasard est maître du jeu.

- de vieux journaux
- un tablier
- des pots de confiture vides
- une brochette
- de l'eau
- des couleurs à batik
- une règle
- un crayon
- un fer à repasser
- une carte à double volet (format A4)
- des ciseaux
- un bâton de colle

1. Recouvrez votre plan de travail de vieux journaux et mettez un tablier pour protéger vos vêtements.

2. Délayez les couleurs à batik dans les pots de confiture en mélangeant bien avec la brochette. Suivez le mode d'emploi indiqué sur l'emballage.

3. Tracez à la règle et au crayon sur le papier batik un rectangle un peu plus petit que la carte à double volet et découpez-le.

4. Pliez le papier batik comme indiqué sur les illustrations a-e ou à votre propre idée. Le pliage détermine la répartition des couleurs et l'effet qu'elles produisent sur la carte.

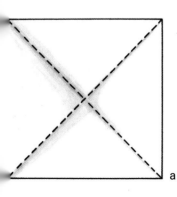

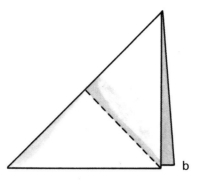

b

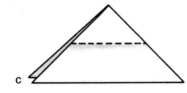

c

d

e

5. Trempez maintenant chacune des extrémités du papier plié dans les couleurs souhaitées, à 1-2 cm de profondeur. Les couleurs coulent l'une sur l'autre. Plus vous laissez le papier dans la couleur, plus la nuance obtenue sera intense et plus la tache de couleur s'étendra sur la feuille. Faites plusieurs essais.

6. Ensuite, dépliez le papier et mettez-le à sécher sur les vieux journaux.

7. Repassez l'image obtenue sur une pile de vieux journaux.

8. Ensuite, collez-la sur la carte à double volet. Commencez par enduire la carte de colle avant d'y appliquer le papier batik. Attention, veillez à ne pas le déchirer !

Cartes à motifs de plantes pressées

4. Placez la plante pressée ou la tulipe en carton sur le papier blanc. Humectez la brosse à dents et plongez-la dans un peu de gouache. A l'aide du tamis, éclaboussez la couleur sur le papier. Attention : si vous prenez trop d'eau, vous risquez de faire des taches.

5. Après avoir éclaboussé légèrement toute la surface du papier, retirez délicatement le patron et sur la feuille en le décalant un peu. Ainsi, vous obtiendrez deux motifs d'intensité différente. Bien entendu, vous pouvez vous contenter d'un seul motif, qui restera alors tout blanc.

6. A vous de choisir si vous collez l'image terminée sur une carte achetée dans le commerce ou si vous en réalisez une vous-même.

En éclaboussant simplement une feuille de papier, vous obtiendrez un résultat très beau et très original, qui demande cependant un peu d'expérience et d'adresse.
Il est recommandé de mettre un tablier; avant de commencer, recourez aussi votre plan de travail de vieux journaux.

1. Mettez différentes plantes sous presse dans un vieil annuaire téléphonique et laissez-les reposer 2 jours.

2. Si vous préférez orner votre carte avec la tulipe illustrée ci-contre, décalquez-la, reportez le dessin sur du carton et découpez le patron obtenu.

3. Découpez maintenant un morceau de papier blanc un peu plus grand que la plante choisie. N'oubliez pas que la carte réalisée doit rentrer dans une enveloppe si vous voulez l'envoyer par la poste.

Modèle à décalquer

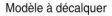

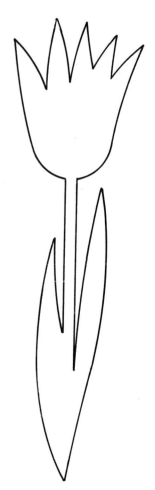

Le carnaval des enfants

Après un long hiver, nous avons tous envie de bouger, de nous amuser. Pourquoi ne pas organiser une joyeuse fête costumée, un carnaval bariolé ?

Les tout jeunes enfants sont facilement effrayés par les déguisements. Des lunettes, un foulard ou un châle à paillettes leur suffiront donc pour s'accoutrer. Quant aux enfants plus âgés, ils ont des idées et des souhaits bien arrêtés à ce sujet. Toutefois, il faut veiller à ce qu'un costume leur laisse suffisamment de liberté de mouvements.

Les pages suivantes vous aideront à donner corps à leurs désirs. Les serviette en fleurs décoreront la salle du bal masqué de mille couleurs gaies. Les jolis cartons de table pourront être emportés en souvenir de la fête. Bien entendu, ces décorations peuvent servir en bien d'autres circonstances.

Drôles de lunettes

Ces drôles de lunettes, que vous aurez réalisées vous-même, sont un accessoire tout simple mais très spectaculaire, sympathique pour un goûter de carnaval, surtout si les enfants ne veulent pas mettre de masques. Les couleurs et les décorations seront choisies en fonction du costume.

- du carton léger de couleur (32 x 7 cm)
- du papier-calque
- un crayon
- de grands ciseaux et de petits ciseaux pointus
- des couleurs à volonté
- de la colle universelle

Pour la décoration:
- des boutons, de la laine brute ou de l'ouate
- de petites étoiles brillantes
- un reste de rideau
- une aiguille
- du fil
- des plumes multicolores

1. Décalquez le modèle des lunettes du cahier de patrons et reportez-le sur le carton léger.

2. Découpez les lunettes. Pour les verres, servez-vous de petits ciseaux pointus ou de ciseaux à ongles.

3. Peignez les lunettes à votre idée ou décorez-les, par exemple avec des boutons, des étoiles autocollantes, de la laine brute ou des plumes. Donnez libre cours à votre imagination. Cousez bien les plus gros boutons.

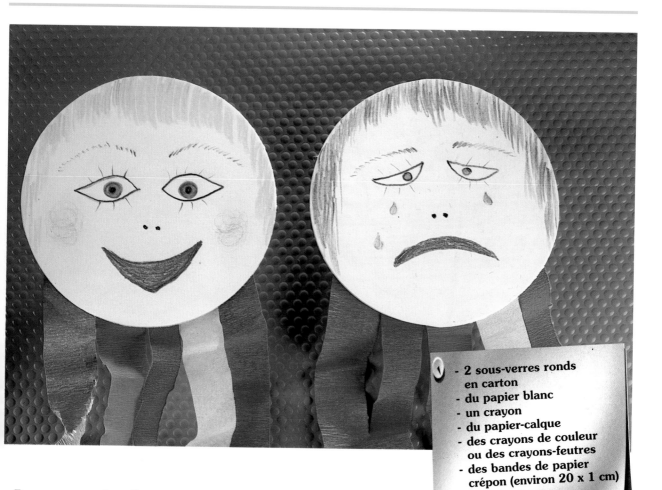

- 2 sous-verres ronds en carton
- du papier blanc
- un crayon
- du papier-calque
- des crayons de couleur ou des crayons-feutres
- des bandes de papier crépon (environ 20 x 1 cm)
- des ciseaux
- de la colle universelle

Jean-qui-pleure et Jean qui rit

Faciles à réaliser, ces deux figures, l'une souriante, l'autre en larmes, pourront servir pendant la fête à des jeux de groupe.

Par exemple : Placés derrière une ligne (ou une corde), les enfants jettent les figures qu'ils auront réalisées auparavant. Pour chaque enfant, le meneur de jeu note si c'est le visage souriant ou le visage en larmes qui apparaît. Après une dizaine de tours, on compte les points — vous pouvez décider que le vainqueur commencera le jeu suivant, ou distribuer de petites récompenses pour chaque figure souriante : des noisettes, des raisins de Corinthe ou de petits ours en gomme.

1. Placez l'un des sous-verres sur le papier blanc et reproduisez son contour au crayon. Répétez l'opération pour obtenir 2 cercles de papier, sur lesquels vous dessinerez le visage souriant et le visage en larmes.

2. Coloriez les visages avec des crayons de couleur.

3. Découpez aux ciseaux des bandes de papier crépon d'environ 20 cm de long et 1 cm de large. A vous de choisir les couleurs : il peut y avoir une couleur pour chaque enfant ou plusieurs couleurs par figure.

4. Enduisez l'un des sous-verres de colle et collez-y les extrémités des bandes de papier crépon (2 cm environ). Attention à ne pas superposer les bandes, l'ensemble serait trop épais. Encollez également le second sous-verre et recouvrez-en le premier.

5. Découpez les deux cercles contenant les visages.

6. Collez maintenant les visages sur les faces du sous-verre, en les plaçant de telle manière que les bandes de couleur se trouvent sous la bouche.

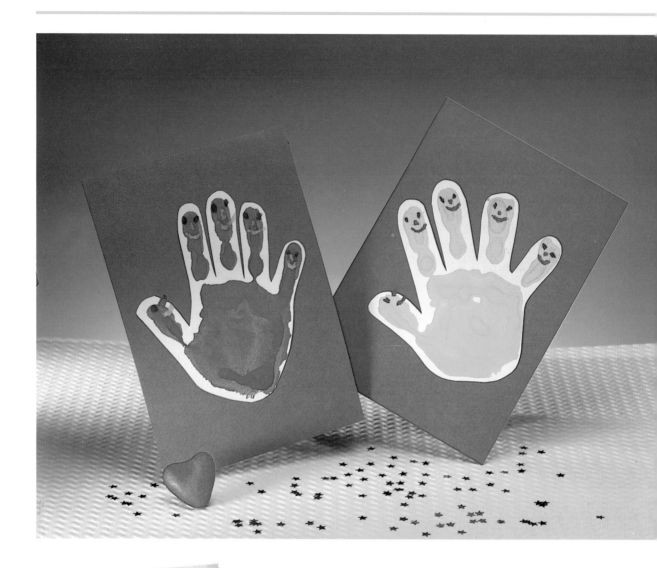

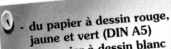
Invitation au bal masqué

Cette invitation au carnaval contient déjà bien des promesses — cinq enfants-doigts réjouis font signe à leur ami de venir les rejoindre !

1. Badigeonnez de couleur l'une de vos mains et appuyez-la fermement contre le papier à dessin blanc ou jaune.

2. Découpez l'empreinte qui s'est imprimée sur le papier et collez-la sur un feuillet de papier à dessin de couleur contrastée.

3. Avec de la peinture ou des crayons feutres, dessinez une figure souriante au bout de chaque doigt.

4. Pour terminer, écrivez le texte de l'invitation sur la paume de la main.

Clown
et Chinois

- du papier fort rouge,
  jaune et vert (15 x 15 cm)
- du papier à dessin noir
- du papier blanc pour
  machine à écrire
- un reste de laine noire
- des crayons de couleur
- un crayon
- du papier-calque
- des ciseaux
- de la colle universelle

Il n'y a pas d'âge pour se livrer avec plaisir à ces petits pliages tout simples. Avec des décorations et des accessoires, vous pouvez créer des personnages différents à partir d'un même modèle — par exemple, un clown et un Chinois. Vous en inventerez certainement beaucoup d'autres !

1. Pliez le carré de papier pour faire un rectangle en rabattant deux côtés l'un sur l'autre. Ensuite, dépliez-le et procédez de même avec les deux autres côtés. En ouvrant de nouveau le papier, vous obtiendrez deux plis qui se croisent au centre du carré.

2. Repliez sur ce point central les 4 coins du carré en insistant pour bien marquer les plis.

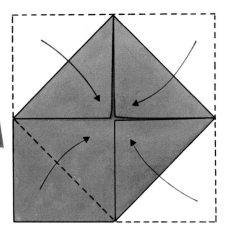

3. Retournez le papier pour que tous les coins repliés se trouvent contre le plan de travail. Sur cette face-ci également, repliez les 4 coins sur le point central.

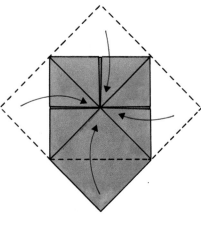

4. Ensuite, retournez de nouveau le travail et repliez pour la troisième fois les 4 coins sur le milieu.

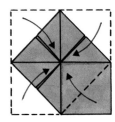

5. Enfin, retournez une dernière fois le pliage. Vous avez obtenu 4 petits carrés à l'intérieur d'un grand carré. Prenez l'un d'eux et tirez-le vers le haut en plaçant d'abord la pointe à la verticale pour ouvrir le carré. Ensuite, rabattez-le vers la pointe extérieure de façon à former un rectangle. Lissez bien les plis.
Ce petit rectangle formera le short du personnage terminé.

6. Prenez maintenant les carrés à droite et à gauche du premier. Dans chacun des cas, soulevez du doigt le triangle supérieur, tirez-le vers le haut et repliez-le vers l'extérieur pour former les manches.

Clown

Voici comment réaliser un clown à partir de ce modèle de base :

1. Décalquez les mains et les jambes de la page 211 et reportez-les sur du papier blanc avant de les découper. Collez les mains dans les manches et les jambes dans le short.

4. Maintenant, vous pouvez colorier les chaussures, les chaussettes, les shorts, les boutons... selon ce que vous souffle votre imagination ou en suivant l'exemple de la photo.
Qu'il apparaisse comme carton de table, sur l'assiette du dessert ou perché comme un funambule entre les serpentins, ce clown fera plaisir à tous les invités.

3. Pour la moustache, coupez 3 ou 4 brins de laine noire de 3 cm de long attachez-les au milieu et collez-les sous le nez.

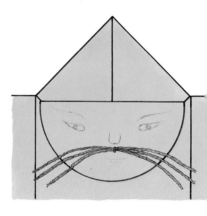

Chinois

1. Reportez le demi-cercle sur du papier pliant jaune pour faire le visage; découpez-le et collez-le à l'endroit correspondant. Dessinez au crayon noir un visage avec de petits yeux bridés.

2. Reportez également le demi-cercle sur du papier blanc et collez-le à l'endroit du visage. Dessinez le visage et les cheveux du clown avec des crayons de couleur.

4. La natte est tressée avec 9 brins de laine noire de 15 cm de long. Attachez-les ensemble à l'une des extrémités avant de tresser la natte; ensuite, attachez-les aussi à l'autre extrémité. Collez cette dernière sur la tête du Chinois en disposant les bouts de telle manière qu'ils ressemblent à des cheveux.

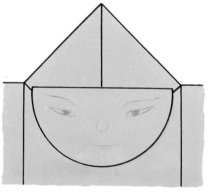

3. Reportez la collerette sur du papier vert; découpez-la et collez-la sur le clown.

2. Reportez les mains et les jambes sur du papier à dessin noir; découpez-les et collez-les.

5. Pour terminer, ajoutez au crayon de couleur noir les rayures des manches, les détails du short, la ceinture et la boucle.

Fleurs en serviettes multicolores

- des serviettes ou des mouchoirs en papier multicolores
- un ruban pour cadeaux
- des ciseaux

Ces fleurs en serviettes constituent une décoration rapide, bon marché et très spectaculaire. Vous pouvez en rassembler plusieurs pour faire des guirlandes.

1. Dépliez tout à fait la serviette et placez-la bien à plat devant vous.

2. Pliez maintenant ce carré en deux.

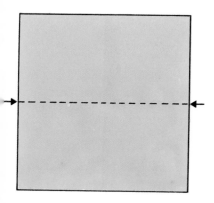

3. Avec des ciseaux, coupez-le en deux le long du pli.

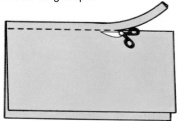

4. Placez les deux moitiés aussi exactement que possible l'une sur l'autre et pliez-les en accordéon (pour des explications détaillées, voyez le "Papillon" de la page 29).

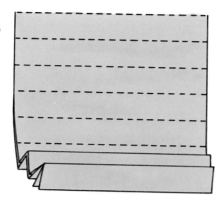

5. Prenez un ruban pour cadeaux d'une couleur assortie et coupez un morceau d'environ 30 cm de long.

Vous pouvez remplacer le ruban pour cadeaux avec une bande de dentelle ou de galon ou par un ruban de velours ou de satin. Ainsi, les fleurs auront un aspect encore plus décoratif.

6. Nouez la bande au milieu de l'accordéon, en laissant des bouts de longueur à peu près égale.

7. Pour terminer, défaites délicatement les différentes couches de papier de la serviette. Commencez au milieu, près du nœud, et tirez délicatement les couches vers le haut en les séparant. Vous obtiendrez une forme en relief qui ressemble à une fleur.

8. Accrochez la fleur au moyen des bouts de ruban restants.

Sur le sentier de la guerre: parure indienne

- une bande de carton ondulé (env. 110 x 4,5 cm)
- des peintures couvrantes ou des peintures à doigts
- un pinceau
- un crayon
- des plumes de couleurs et de grandeurs différentes
- des restes de papier à dessin de couleurs intenses
- 20 baguettes de rotin (8 cm de long)
- une agrafeuse
- des ciseaux
- de la colle universelle

Si vous voulez ressembler à un véritable Indien, voici un modèle que vous aurez créé vous-même avec des plumes arrangées d'une façon qui n'appartient qu'à vous.

1. Pour commencer, découpez la bande de carton ondulé aux dimensions indiquées ci-dessus.

2. Coloriez maintenant la bande du côté lisse ou du côté ondulé. Dans ce dernier cas, laissez-vous inspirer par les cannelures régulières du carton.

3. Comme les plumes sont assez grasses, vous ne pourrez pas colorier vous-même celles que vous aurez trouvées; vous devrez vous procurer des plumes teintes au magasin de bricolage.

4. Placez le bandeau de carton ondulé autour de votre tête et agrafez-le à l'arrière en laissant pendre une longue bande.

5. Pour terminer, collez les plumes en les ordonnant comme vous voulez dans les cannelures du carton ondulé.

6. Au cas où vous n'avez pas de plumes sous la main, vous pouvez en confectionner vous-même :

Découpez des plumes de papier en vous servant des deux modèles ci-contre; pliez-les en deux et découpez-les en franges; alternativement, vous pouvez découper votre propre modèle dans un morceau de papier plié et y faire des franges. Pour terminer, collez une baguette de rotin dans le creux du pli pour faire le tuyau de la plume.

Modèles à décalquer

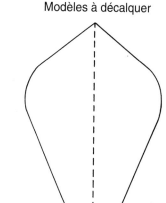

petite plume

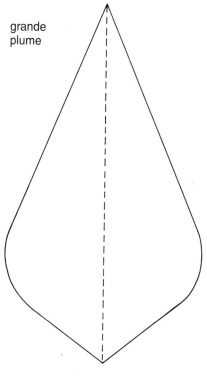

grande plume

Canotier à bonbons et chapeaux fleuris

- du carton léger aux couleurs intenses
- du carton pour photos noir
- du papier-calque
- du fil de fer pour fleurs
- 1 bloc d'éponge pique-fleurs
- une règle
- un crayon
- des ciseaux
- de la colle universelle
- des sucreries entourées de cellophane
- de petites friandises

Le bal masqué que vous projetez pourrait avoir pour devise : "Chapeau bas!" Voici de grands canotiers piqués de bonbons entourés de cellophane qui invitent à grignoter, et de petits chapeaux au nom ou aux initiales de vos invités. Ceux-ci cachent bien leur jeu: vous les avez remplis de friandises avant de les fermer; à la fin de la fête, chaque invité pourra en emporter un en souvenir d'un carnaval réussi.

1. Commencez par reporter les éléments du chapeau du cahier de patrons sur le carton léger et découpez-les.

2. Repliez vers l'intérieur les ourlets sur les deux grands côtés de la bande de carton et faites des incisions obliques en partant du bord vers le pli et en suivant les intervalles indiqués, pour former de petits triangles.

3. Courbez la bande pour former un cylindre; simultanément, collez les dentelures, l'une après l'autre, sur le plus petit des deux ronds du chapeau.

4. A présent, remplissez de sucreries les petits chapeaux et fermez-les au moyen du grand cercle. Placez l'éponge pique-fleurs à l'intérieur du grand chapeau.

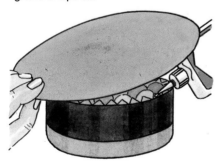

5. Voici comment réaliser les fleurs qui ornent les petits chapeaux :
Reportez deux fois la corolle extérieure sur du carton pour photos rouge et reportez le cœur de la fleur sur du carton pour photos orange. Découpez les trois éléments et collez le disque orange sur l'une des corolles rouges. Ecrivez dans ce disque le nom de l'un de vos invités.

6. Découpez de fines franges de papier de couleur comme indiqué ci-dessus et frisez-les un peu aux ciseaux. Collez ces bandes, ainsi qu'un fil de fer pour fleurs d'environ 15 cm de long, entre les deux grandes corolles.

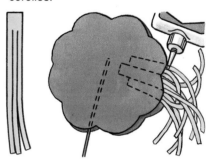

7. Découpez un ruban de 21 x 3 cm dans du carton léger noir pour le petit chapeau et un ruban de 42 x 5 cm pour le canotier. Collez les rubans sur le pourtour des chapeaux.

8. Avant que la colle du petit chapeau ne soit tout à fait sèche, enfoncez-y la fleur au bout de son fil de fer.

9. Piquez des bonbons dans le dessus du canotier pour le décorer. Enroulez l'extrémité d'un fil de fer d'environ 18 cm de long autour de la cellophane en faisant deux à trois tours. Piquez l'autre extrémité du fil dans le dessus du chapeau. A vous de décider du nombre de sucreries dont vous décorerez le chapeau. Grâce à l'éponge pique-fleurs, même les bonbons les plus lourds tiendront bien.

Perruque et chapeau en papier mâché

Qui n'a déjà souhaité changer de coiffure ou même de couleur de cheveux ?

Pendant le carnaval, vous pouvez vous confectionner une perruque qui autorisera les coiffures les plus originales: des nattes, une queue de cheval, un catogan à la Mozart ou un chignon.

1. Gonflez le ballon jusqu'à la grosseur approximative de la tête du porteur de la perruque.

2. A l'extrémité supérieure du rouleau de papier hygiénique, faites des incisions d'environ 2 cm à intervalles de 1 cm et repliez les languettes vers l'extérieur

Placez ensuite le ballon gonflé sur [ro]uleau de papier hygiénique, le [b]out vers le bas, et attachez-le avec [du] papier collant aux languettes [re]pliées. Pour que le ballon reste [bi]en stable pendant votre travail, [m]ettez le rouleau dans un pot de [co]nfiture vide.

[P]réparez 2 l. de colle en suivant le [m]ode d'emploi indiqué sur l'emballa-[g]e. Découpez ou déchirez des bouts [d]e papier journal d'environ 5 x 5 cm. [En]duisez-les de colle et fixez-les en [un]e ou deux épaisseurs sur la moitié [su]périeure du ballon.

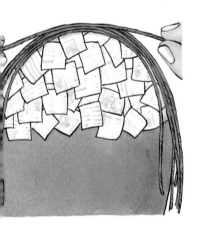

5. Enduisez cette première couche d'une bonne dose de colle. Fixez-y les uns près des autres des brins de laine de longueur à peu près égale que vous aurez coupés à l'avance.

6. Enduisez de colle des morceaux de papier journal que vous placerez en 2 au 3 couches par-dessus les brins de laine, comme indiqué sur l'illustration. Encollez cette nouvelle épaisseur de papiers.

7. Collez maintenant sur le ballon une seconde couche de brins de laine, perpendiculaire à la première. Pour la fixer, collez par-dessus 2 ou 3 épaisseurs de bouts de papier journal encollés.

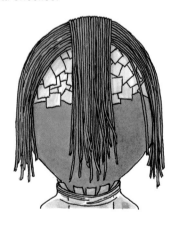

8. Sur cette première croix de brins de laine, placez une seconde croix réalisée en suivant les points 5, 6 et 7, mais en diagonale par rapport à la première.

9. Pour donner une meilleure tenue à la perruque, faites une calotte avec 3 ou 4 couches de bouts de papier journal bien enduits de colle.

10. Lorsque le travail est bien sec, crevez le ballon, peignez la calotte de couleurs vives et rectifiez à votre goût la longueur des mèches. La perruque produira un effet tout aussi amusant si vous mélangez aux brins de laine des rubans pour cadeaux frisés avec des ciseaux.

Devinez qui c'est !

- 2 ballons gonflables
- un vieux journal
- du Méthylane instantané (colle spéciale)
- du papier collant
- des couleurs nuancées
- un pinceau
- une bande élastique (env. 30 cm de long)
- des ciseaux

C'est le carnaval ! Si vous voulez que vos meilleurs amis ou amies ne puissent vous reconnaître, fabriquez vous-même l'un de ces beaux masques bariolés. Certes, leur réalisation demande un peu de temps mais vous permet, en revanche, de mettre en pratique vos idées les plus folles.

1. Gonflez les deux ballons; le premier doit avoir à peu près la grosseur de la tête du porteur du masque. Pour les enfants, le pourtour (à l'endroit le plus large du ballon) doit être d'environ 55 cm. Le second ballon doit avoir une circonférence d'environ 20 cm.

2. Avec du papier collant, fixez le petit ballon au milieu du grand pour faire le nez.

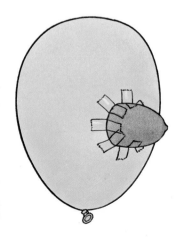

3. Préparez de la colle dans un pot de confiture vide en suivant le mode d'emploi.

4. Déchirez ou découpez le journal en morceaux d'environ 5 x 5 cm.

5. Enduisez les morceaux de journal de colle et collez-les couche par couche (6 à 7 fois) sur le devant du ballon, y compris sur le nez. En collant, songez déjà à ménager des ouvertures pour les yeux. Toutefois, vous pouvez également les découper avec un couteau pointu lorsque votre masque sera sec.
Si vous voulez, vous pouvez coller des brins de laine sur le front du masque pour faire une frange.

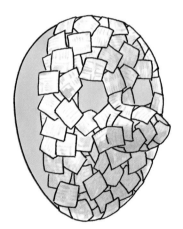

6. Laissez sécher deux à trois jours avant de crever le ballon.

7. A présent, vous pouvez mettre le masque en couleurs. Utilisez de préférence des couleurs résistantes à l'eau qu'on trouve dans tous les centres de bricolage. Ainsi, le masque ne s'abîmera pas, même s'il pleut pendant le carnaval.

8. Percez un trou dans le bord gauche et le bord droit du masque, à peu près à la hauteur des oreilles. Passez l'extrémité d'une bande élastique par l'une de ces ouvertures et faites un nœud. Passez le bout de la bande élastique dans l'autre trou et faites un noeud en tenant compte de la grosseur de la tête à masquer.

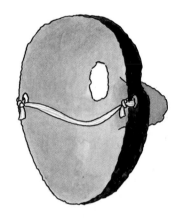

9. Sur le devant du masque, ajoutez des cornes, de grandes oreilles ou des lèvres épaisses.

Décorations pour la chambre des enfants

La chambre doit être l'endroit où l'enfant se sent le mieux: tout doit correspondre à ses besoins, à ses goûts, à son âge et à son évolution personnelle.

Les idées réunies dans ce chapitre sont très diversifiées, pour que chacun puisse y trouver son bonheur.

Canard barboteur

- du papier-calque
- un crayon
- des ciseaux
- du carton (format A5)
- une perforatrice
- des pastels gras ou
  des crayons de couleur
- un reste de cuir fin
  et souple
- un stylo à bille
- un bouchon de liège
- un petit couteau
  de cuisine
- une planche à découper
- une brochette
- un petit marteau

Voici un canard que les tout-petits seront ravis d'adopter. Saisi par la queue et poussé vers l'avant, il se dandinera avec beaucoup d'élégance. Les roues de liège tournent et les palmes de cuir claquent contre le sol, d'abord à gauche, puis à droite.

. Décalquez le canard de la page 23 et reportez-le sur un morceau de carton résistant. N'oubliez pas de dessiner l'aile et l'ouverture destinée à l'"essieu" des pattes.

. Découpez le canard et coloriez-le des deux côtés avec les pastels gras ou les crayons de couleur.

. Avec la perforatrice, percez un trou de même diamètre que la brochette à l'endroit indiqué.

. Décalquez maintenant la patte et reportez-la deux fois sur du cuir souple et fin au moyen d'un stylo à bille. Découpez les deux pattes.

5. Pour confectionner les pattes, coupez le bouchon de liège en deux parties égales sur la planche à découper. Pendant cette opération, tournez le bouchon sous la lame pour inciser tout le pourtour avant de trancher le milieu. Ainsi, vous obtiendrez une surface bien plane.

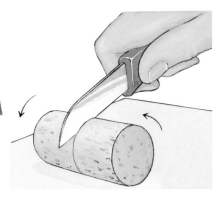

6. Avec le couteau de cuisine, faites une rainure de 3 mm de profondeur dans chacune des moitiés du bouchon, dans le sens de la longueur.

7. Placez dans la rainure la patte en cuir en vous aidant de la pointe du couteau, de manière à ce que le côté rectiligne de la patte s'y enfonce entièrement. Procédez de même pour la seconde patte.

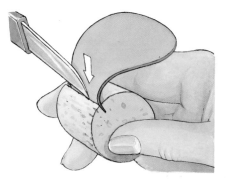

8. Voici comment attacher les pattes au corps du canard : placez l'une des pattes avec le côté tranché du bouchon contre la planche à découper et enfoncez au marteau la pointe d'une brochette de 4,5 cm au milieu du bouchon. La brochette peut entrer jusqu'à la base.

9. A l'aide d'un couteau, taillez en pointe l'extrémité de la brochette qui dépasse du bouchon.

10. Passez la brochette à travers le trou percé dans le corps du canard.

11. Pressez la seconde patte à l'horizontale contre la brochette pour que le bouchon adhère de près au corps. Si c'est trop difficile, vous pouvez vous aider d'un marteau.

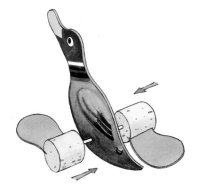

12. Tournez les bouchons pour qu'une des pattes soit tournée vers l'avant et l'autre vers l'arrière. A présent, lorsque vous tenez le canard par la queue et le poussez vers l'avant, les bouchons tournent et les pattes palmées claquent l'une après l'autre sur le sol. C'est d'ailleurs sur une surface peu glissante, par exemple une moquette, que votre canard se dandinera le mieux.

- du carton léger noir
  (DIN A5)
- du papier-calque
- un crayon
- des ciseaux
- une aiguille ou
  un emporte-pièce
- de la colle universelle
- des restes de carton
  pour photos rouge
- du papier blanc ou des
  pastilles autocollantes
- un crayon-feutre noir
- 2 attaches parisiennes
- de la ficelle ou de la laine
  (60 cm)
- un élastique de 1 cm
  de diamètre (élastique à
  cheveux) ou un élastique
  double un peu plus long
- une perle

Pantin-corbeau

Les pantins sont vieux comme le monde. En voici un d'un tout nouveau genre : un malin corbeau à accrocher au mur de la chambre, et qui bat des ailes lorsque vous tirez la cordelette.
Il est très facile à actionner. Grâce à un élastique, les ailes reviennent toujours à la position de départ.

1. Reportez les modèles de la tête, du corps et des ailes de la page 214 sur du carton léger — sans oublier les repères destinés à faciliter le montage.

2. Découpez les différents éléments. Percez des trous aux endroits des repères à l'aide d'une aiguille ou d'un emporte-pièce. Si vous vous servez d'une aiguille, agrandissez les trous avec la pointe des ciseaux pour qu'ils laissent passer l'attache parisienne (ces ouvertures sont désignées par un A sur le patron).

3. Collez la tête sur le corps, tout près des trous mais sans les recouvrir.

4. Prenez du carton pour photos rouge et découpez un triangle pour faire le bec. Découpez les yeux dans du papier blanc ou prenez des pastilles autocollantes. Collez les yeux et le bec. Dessinez les pupilles au crayon-feutre noir.

5. Reportez les pattes sur du carton pour photos rouge; découpez-les et collez-les sur le verso du corbeau.

6. A l'aide des deux attaches parisiennes, fixez les ailes au corps. Pour que celles-ci bougent facilement, elles doivent avoir suffisamment de jeu. A cette fin, au moment de replier les attaches, insérez dans l'articulation un morceau de carton ou la lame des ciseaux.

7. Sur l'envers du corbeau, reliez les deux petits trous à l'extrémité supérieure des ailes au moyen d'un petit bout de ficelle. Passez ensuite celle-ci dans l'élastique. Au moment où vous faites le nœud, les ailes doivent être aussi verticales que possible.

8. Coupez environ 15 cm de cordelette pour accrocher le corbeau. Avant de faire le noeud, passez la cordelette à travers le trou de la tête et l'élastique.

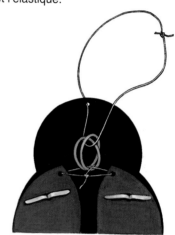

9. A présent, nouez le reste de la cordelette autour des attaches horizontales du corbeau.

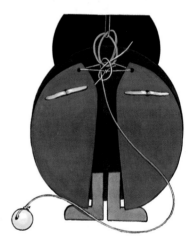

10. Fixez la perle à l'autre extrémité de la cordelette.

Goéland de papier

- deux feuilles de papier à dessin blanc (format A5)
- un crayon
- du papier-calque
- des ciseaux
- un bâton de colle
- de la ficelle
- une aiguille

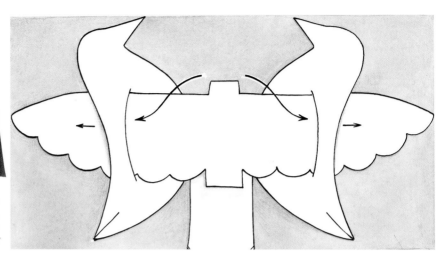

Accroché au plafond de la chambre, le goéland ne cesse de bouger doucement. Faites-en deux ou trois pour obtenir un effet encore plus animé.

1. Décalquez le corps et les ailes du goéland de la feuille de patrons et reportez-les sur le papier à dessin.

2. Découpez les deux éléments. Incisez le bout de la queue et le grand élément de queue aux endroits indiqués. Avec des ciseaux pointus, découpez des fentes aux endroits du corps indiqués par les deux lignes.

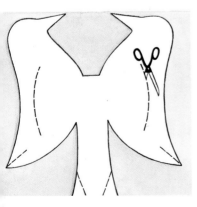

3. Poussez les ailes de l'intérieur vers l'extérieur à travers les deux fentes du corps. Le côté ondulé des ailes doit être tourné vers l'arrière.

4. Repliez les deux éléments du corps à la verticale et rabattez-les autant que possible vers l'intérieur.

5. Collez les deux faces de la tête ensemble et rentrez les encoches pratiquées dans la queue les unes dans les autres.

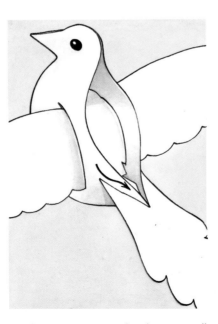

6. Avec un crayon, dessinez un œil de chaque côté de la tête.

7. Il ne reste plus qu'à accrocher votre goéland : passez un fil au bout d'une aiguille à travers les deux points de repère indiqués sur le dos de l'oiseau et nouez les deux extrémités à la hauteur souhaitée. Et voilà le travail !

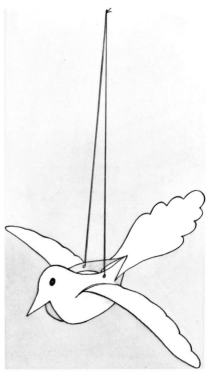

Poupée-tendresse

Tous les enfants aiment les poupées de laine — les petits jouent avec elles et les grands en décorent leur chambre. Faciles à réaliser, elles permettent de réutiliser les restes de tissu et de laine.

1. Servez-vous de la boîte d'un jeu de société pour confectionner des écheveaux de laine. La boîte devrait avoir à peu près 38 sur 28 cm. Enroulez la laine autour du grand côté, en faisant assez de tours pour que l'écheveau puisse tout juste passer par le trou de la boule de bois.

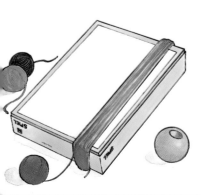

2. Avant de retirer l'écheveau de la boîte, attachez-le solidement à l'une des extrémités avec un double fil de laine, en laissant environ 20 cm de chaque côté de celui-ci. A présent, retirez la boîte.

3. En vous servant des deux fils de 20 cm, passez l'écheveau à travers le trou de la boule et sortez-le jusqu'à une hauteur de 13 cm environ pour faire les cheveux de la poupée.

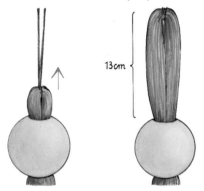

13cm

4. Coupez les "cheveux" du côté du visage; laissez-les longs à l'arrière de la tête.

5. Enduisez tout le pourtour du trou de colle et collez les "cheveux" pour qu'ils ne puissent plus se redresser.

6. Pour les bras de la poupée, enroulez autour de la boîte en carton un second écheveau deux fois moins épais que celui du corps.

7. Retirez délicatement l'écheveau de la boîte et ouvrez-le aux deux extrémités avec des ciseaux.

8. Attachez un double fil de laine à environ 2 cm de l'une des extrémités et faites un nœud bien solide.

9. Divisez l'écheveau en 3 parties égales et tressez une natte jusqu'à l'autre extrémité. Attachez les trois éléments au moyen d'un fil de laine double et faites un nœud bien serré. Egalisez les brins de laine à 2 cm de l'attache. Les bras sont terminés.

10. Il reste encore à confectionner le corps de la poupée.
Coupez l'écheveau à l'extrémité inférieure.

11. Divisez l'écheveau en 3 parties égales et entrelacez les bras immédiatement sous la tête, perpendiculairement au corps, entre les trois parties de l'écheveau.

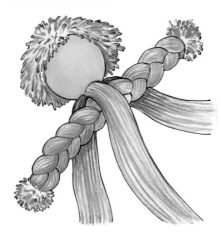

12. Tressez environ 9 cm pour le corps, divisez-le en deux parties égales et tressez les jambes séparément jusqu'à la fin de la laine. Attachez les extrémités des jambes avec un double fil de laine en égalisant les brins à 2 cm du nœud.
Le corps de la poupée est terminé.

13. Pour la robe, découpez une bande de tissu de 45 x 13 cm avec des ciseaux dentés. Rabattez les petits côtés l'un sur l'autre, endroit sur endroit.

14. Collez les bords ensemble jusqu'à 6,5 cm de hauteur. Les 6,5 cm restants serviront d'emmanchure.

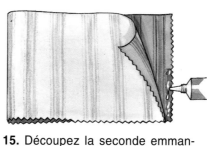

15. Découpez la seconde emmanchure de la façon suivante :
Mesurez 6,5 cm en partant du bas et faites une marque à cet endroit. A partir de la marque, découpez une ouverture de 5,5 cm avec des ciseaux dentés en arrondissant un peu les bords.

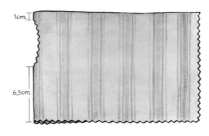

16. Retournez le tissu sur l'endro[i]
Faufilez un fil à 1 cm du bord sup[é]rieur, en commençant du côté ouve[rt]
Laissez un bout de 10 cm à chacu[n]
des extrémités du fil.

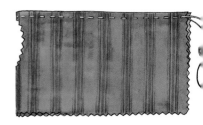

17. A présent, habillez la poupée. E[n]
serrant les deux extrémités du fi[l]
froncez l'étoffe autour du cou. Fait[es]
un nœud et coupez les bouts q[ui]
dépassent.

18. Dessinez le visage avec de[s]
crayons de couleur spéciaux pou[r]
bois. Pour que les couleurs soie[nt]
plus intenses, humectez les crayo[ns]
en les plongeant quelques instan[ts]
dans de l'eau.

19. Lorsque les couleurs sont bie[n]
sèches, appliquez sur le visage un[e]
couche de vernis transparent.
Voici une poupée qui a fort bell[e]
mine — elle ne tardera pas à trouve[r]
une place bien en vue dans votr[e]
chambre !

Toise à chiffres :
- **du carton à dessin souple (66,5 x 11 cm)**
- **une règle**
- **un crayon-feutre à pointe fine et un autre à pointe épaisse**
- **du papier sulfurisé**
- **du papier glacé de couleurs différentes ou du papier adhésif**
- **un crayon**
- **des ciseaux**

Toises décorées

La toise terminée sera agrafée au mur à 120 cm du sol.

Toise à chiffres

1. Avec une règle, mesurez des intervalles de 1 cm sur les deux longs côtés du carton et faites des marques au crayon.

2. Avec le crayon-feutre à pointe épaisse, tracez des lignes au sommet, à la base et tous les 5 cm, en reliant chaque fois deux points. Tracez les lignes intermédiaires au crayon-feutre à pointe fine.

3. Reportez les chiffres des pages 222 et 223 sur le papier glacé ou le papier adhésif et collez-les sur le carton. La toise est terminée !

Toise aux nains

1. A l'aide d'un crayon, reportez les nains, l'échelle et la graduation en centimètres de la feuille de patrons sur du papier sulfurisé. Fixez celui-ci aux deux extrémités du carton avec de petits morceaux de papier collant.

2. Placez une feuille de papier carbone entre le carton et le papier sulfurisé et reproduisez le motif.

3. Retirez le papier sulfurisé; coloriez les nains et l'échelle avec des couleurs appliquées au pinceau. Repassez au crayon-feutre noir sur les contours pour qu'ils soient bien nets.

Toise aux nains :
- **du carton blanc (66,5 x 11 cm)**
- **un crayon**
- **du papier sulfurisé**
- **du papier collant**
- **du papier carbone**
- **une règle**
- **un pinceau**
- **des couleurs**
- **un crayon-feutre noir**
- **des chiffres à reporter**

Les cloches arrivent !

Enfin ! Les premiers messagers
du printemps sont arrivés : soleil,
cris d'oiseaux, feuilles vertes…
Pâques est la plus belle fête de cette saison.
Préparez-la en réalisant toutes sortes
de bricolages : des poussins, des oiseaux
et des lapins qui se cacheront dans
les bouquets, de petits coquetiers
ou d'amusants œufs lestés
qui décoreront la table...
Au-dessus de la porte, accrochez une
couronne. Quant au lapin de Pâques,
fort affairé en cette saison,
nous ne l'avons pas oublié: son chemin
sera jalonné de corbeilles et de nids,
si beaux et si colorés qu'il ne pourra
manquer de s'y arrêter !

65

Nid de Pâques

- du papier crépon vert
  (45 x 15 cm)
- un ravier de margarine
  rond
- de la colle universelle
- du papier crépon rouge
  (66 x 14 cm)
- des ciseaux
- des fibres artificielles

Pour réaliser ce nid de Pâques — une fleur — vous n'aurez pas besoin de matériaux coûteux. Nettoyez soigneusement le ravier de margarine. Attention à ne pas mouiller le papier crépon, car il déteindrait.

1. Pliez le papier crépon vert en deux pour former un cache-pot de 7,5 cm de haut.

2. Enduisez de colle le côté extérieur du ravier de margarine.

3. Collez le cache-pot sur le ravier en superposant un peu les bords du papier crépon. Celui-ci doit être placé assez haut pour que le bord du ravier demeure invisible.

4. Prenez le papier crépon rouge et pliez-le en accordéon, chaque bande ayant environ 6 cm de large. Avec des ciseaux, découpez un arrondi dans l'un des petits côtés.

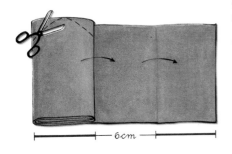

⊢ 6cm ⊣

5. Ensuite, dépliez le papier crépon et collez les extrémités ensemble pour former un anneau.

6. Enduisez de colle le côté intérieur du ravier.

7. Placez l'anneau de papier crépon rouge à l'intérieur du ravier avec le côté non découpé tout contre le fond.

8. Pressez le papier crépon rouge contre les bords du ravier en le fronçant un peu pour qu'il se répartisse uniformément sur tout le pourtour. Le côté découpé du papier forme à présent une jolie corolle. Si vous voulez, vous pouvez confectionner un second anneau rouge semblable au premier pour faire une corolle double.

9. Remplissez d'herbe en papier l'intérieur du ravier. Voici un superbe nid où les cloches ne manqueront pas de déposer quelques œufs !

Œufs de Pâques bariolés

Et si vous décoriez vos œufs de Pâques d'une façon tout à fait originale ? Récupérez des restes de bougies, pas trop petits pour ne pas vous brûler les doigts. Avant de commencer, rappelez aux enfants qu'il faut manipuler les bougies allumées avec beaucoup de prudence et les tenir à bonne distance du visage et des vêtements.

1. Préparez sur un plateau tous les objets dont vous aurez besoin: le carton à œufs dans lequel vous placerez un œuf vidé et bien nettoyé, les allumettes et les différents restes de bougies.

2. Allumez une bougie et tenez-la un peu de biais au-dessus de l'œuf. La cire fond à la chaleur et coule goutte à goutte avant de se figer sur la coquille.

3. Déplacez la main qui tient la bougie pour que les gouttes de cire se répartissent joliment sur la moitié visible de l'œuf. Comme les gouttes de cire se figent très vite, vous pouvez retourner l'œuf presque immédiatement pour décorer la seconde moitié.

4. Ensuite, éteignez la bougie, prenez-en une autre de couleur différente et procédez de la même façon. Si vous n'avez pas laissé couler trop de gouttes d'une même couleur, vous pouvez prendre encore une troisième bougie pour que l'oeuf se colore davantage.

5. Prenez une allumette et brisez-la en son milieu. Nouez le fil à coudre à l'une des deux moitiés et introduisez celle-ci dans l'un des trous que vous avez faits dans la coquille pour vider l'œuf. Votre œuf de Pâques est prêt à être accroché comme décoration.

- du papier sulfurisé
- du papier à dessin
  de couleurs différentes
- un crayon
- des ciseaux à ongles
  ou une perforatrice
- de la colle universelle
- une aiguille
- du fil

Poussins et oiseaux
pour un bouquet printanier

Voici des œufs et des oiseaux de papier pour une décoration originale.

1. Décalquez le poussin dans sa coquille ou l'oiseau de la page 214 et reportez le modèle sur du papier à dessin. La coquille brisée doit être reproduite deux fois.

2. Découpez ensuite le motif. Pour les découpages du corps de l'oiseau, utilisez des ciseaux à ongles. L'œil peut être percé au moyen d'une perforatrice.

4. Collez le poussin sur l'une des coquilles en laissant dépasser les ailes au-dessus du bord. Collez la seconde coquille par-dessus. On dirait que le poussin vient de briser sa coquille pour sortir de l'œuf.

6. Pour pouvoir accrocher le poussin et l'oiseau, passez-y un fil au bout d'une aiguille, comme indiqué sur l'illustration ci-dessus.

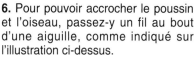

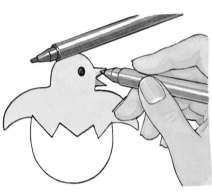

3. Si le découpage de l'intérieur s'avère trop difficile, vous pouvez bien entendu le colorier des deux côtés au crayon-feutre.

5. Avec un crayon-feutre, dessinez un œil et un côté du bec sur les deux faces.

Vous pouvez ainsi fabriquer autant d'exemplaires que vous le souhaitez.

- du carton à dessin brun (format A5)
- du papier-calque
- un crayon
- des ciseaux
- du carton à dessin rose (5 x 16 cm)
- de la colle universelle
- un crayon-feutre noir
- un rouleau de carton
- des crayons-feutres ou des crayons de couleur
- un crayon noir
- du papier crépon orange, jaune et vert
- de l'ouate

Un couple de lapins

Voici de joyeux lapins à queue duveteuse : un travail de bricolage rapide et facile. Les lapins que réaliseront les bricoleurs les plus jeunes n'ont pas absolument besoin d'un costume. Placés l'un à côté de l'autre, ils se tiennent la patte et forment un joyeux cortège. Si le cœur vous en dit, confectionnez aussi des fleurs pour chacun d'eux. Il ne manque plus que les œufs de Pâques pour garnir la corbeille ...

1. Décalquez le modèle de la base de la feuille de patrons, reportez-le sur le carton brun et découpez-le.

2. Repliez les pattes vers l'avant en suivant les pointillés.

3. Reportez l'intérieur de l'oreille deux fois (une fois de biais) sur du carton rose; découpez les deux éléments et collez-les à l'intérieur des oreilles. Dessinez les yeux, le nez, la

bouche et les griffes du lapin a crayon-feutre noir.

4. Mesurez avec la règle 8 cm à pa tir de l'extrémité du rouleau de carto et faites une marque au crayor Répétez l'opération plusieurs su le pourtour du rouleau. Ensuite, relie tous ces repères par une ligne.

5. A présent, faites des entailles espacées de 2 cm en partant du bord jusqu'à la ligne sur tout le pourtour du rouleau. Repliez les languettes ainsi formées vers l'intérieur.

6. Ensuite, recouvrez la surface du rouleau de carton avec du feutre ou du papier glacé. Prenez-en un morceau d'à peu près 10 cm de large sur 16 cm de long. Rabattez l'excédent vers l'intérieur et fixez-le avec de la colle.

7. Ensuite, collez le rouleau de carton sur la base des lapins. Appuyez bien jusqu'au moment où la colle est sèche (vous pouvez par exemple utiliser un pot à fleurs comme presse).

8. A présent, ajoutez à votre lapin une petite queue blanche en ouate. Roulez l'ouate, mettez un point de colle et fixez la queue au milieu du dos.

9. Le lapin est terminé, il ne reste plus qu'à lui confectionner un costume :

Madame Lapin

1. Pour la jupe, prenez un rouleau de papier crépon de 4,5 cm de large et coupez-y un morceau de 16 cm de long. Placez le morceau sur la table et enduisez-le de colle jusqu'à mi-hauteur.

2. Plissez un second morceau de papier crépon de 32 cm de long et appliquez-le sur le papier crépon déjà enduit de colle.

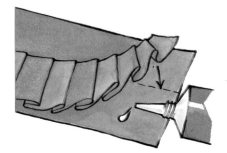

3. Pour que Madame Lapin ne tache pas sa belle jupe en coloriant les œufs de Pâques, confectionnez-lui un tablier jaune. Prenez une bande de papier crépon jaune (4,5 de large et 12 cm de long) et plissez-la. La bande plissée jaune trouvera sa place exactement au milieu de la jupe rouge.

4. Repliez sur l'endroit du tablier la bande de papier crépon rouge qui reste et collez-la par-dessus les plis du tablier et de la jupe.

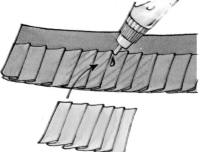

5. Pour le haut, coupez encore 8 cm de papier crépon rouge (4,5 cm de large). Pliez-le en deux pour obtenir une longueur de 4 cm. Collez le haut sur l'envers de la jupe. Découpez un cœur dans du papier crépon jaune.

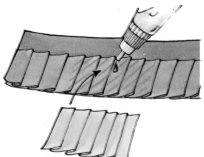

6. Découpez 2 étroites bandes de papier crépon rouge (2 cm) et collez-les sur l'envers du haut, l'une à droite, l'autre à gauche.

7. Placez la robe sur le lapin et collez les bretelles sur le dos. Là où elles touchent la jupe, collez un nœud que vous aurez noué au préalable avec une ou deux bandes de papier crépon (8 cm de long), en faisant un tour supplémentaire avec la partie centrale.

Monsieur Lapin

1. Monsieur Lapin doit lui aussi mettre un beau costume avant de partir distribuer les oeufs de Pâques. Confectionnez-lui un faux col et un nœud papillon.

2. Pour le nœud papillon, coupez deux morceaux de papier crépon de 6 cm de long sur 2 cm de large. Pincez-les en leur milieu et fixez-les avec de la colle.

3. Le col se compose d'une bande de papier crépon vert de 4,5 cm de large sur 20 cm de long. Pliez-la sur toute sa longueur pour obtenir une bande de 3 cm de large; placez celle-ci autour du cou du lapin (avec le pli à l'extérieur) et collez-la sur le ventre.

Si le cœur vous en dit, vous pouvez décorer la corbeille du lapin avec quelques fleurs découpées dans du carton de couleur (feuille de patrons).

Lapins-corbeilles

- boîtes de conserves ou des rouleaux de papier hygiénique vides
- du papier à dessin ou du papier crépon brun
- un peu de feutre rouge
- un crayon
- des ciseaux
- de la colle universelle
- du papier-calque
- du feutre blanc
- du carton léger brun
- du papier à dessin noir
- de l'ouate blanche
- du carton léger vert

Voici de joyeux drilles qui serviront de corbeilles pour les œufs de Pâques; vous pouvez aussi les offrir à des amis ou en décorer la table le dimanche de Pâques.

1. Tout d'abord, recouvrez le "corps" de papier à dessin, de papier crépon ou de feutre. Mesurez la hauteur de la boîte ou du rouleau et ajoutez 5 cm pour l'ourlet à rabattre et à coller à l'intérieur. Pour le papier crépon, comptez une double hauteur, le papier restant servira à tapisser l'intérieur.

2. Découpez le papier à dessin, enduisez-le de colle et placez-le sur la boîte en alignant le bas du papier sur le fond de la boîte.

3. Dans l'ourlet qui dépasse, faites des entailles espacées de 2 à 3 cm jusqu'au rebord de la boîte et repliez les languettes vers l'intérieur en appuyant bien fort.

4. Décalquez maintenant les modèles des oreilles, des yeux, de la bouche, du visage et des pattes (feuille de patrons) et reportez-les sur le papier ou le feutre correspondant.

Comme les oreilles tombent facilement, découpez-les dans du carton à dessin brun.

5. Ensuite, collez l'intérieur blanc de l'oreille sur le second élément et fixez l'oreille sur le corps du lapin. Collez le visage en feutre blanc sous les deux oreilles. Collez les yeux et la bouche sur le visage.

6. Pour la moustache, découpez 2 bandes de papier à dessin noir (6 x 1 cm) et entaillez-les plusieurs fois en laissant un morceau de 1 cm intact. Encollez la partie intacte et fixez les moustaches de part et d'autre au-dessus de la bouche en laissant un petit intervalle.

7. Collez les pattes au fond de la boîte pour qu'elles soient perpendiculaires au visage. Roulez une boule d'ouate et collez-la sur le côté exactement opposé de la boîte.

8. Pour l'herbe, découpez un cercle d'environ 20 cm de diamètre et recouvrez-le de papier crépon (attention : ne mettez pas trop de colle !). Si vous voulez, vous pouvez reproduire le cercle sur le papier crépon ou découper un cercle un peu plus gros, le coller sur le carton léger et découper le bord qui dépasse en fines franges.

9. A présent, enduisez de colle le fond de la boîte et le dessous des pattes et posez le lapin sur le cercle vert, "dans l'herbe". Il ne vous reste plus qu'à le garnir avec des oeufs de Pâques de toutes les couleurs et autres délicieuses surprises !

Patrons à décalquer

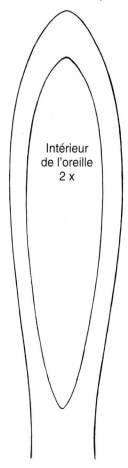

Intérieur de l'oreille 2 x

Oreille 2 x

- de vieux journaux
- un tablier
- des pots à fleurs en terre
  (5 cm de diamètre)
- des couleurs acryliques
- un pinceau
- du papier-calque
- un crayon
- un crayon de couleur jaune
- des ciseaux
- un crayon-feutre noir
  à pointe fine
- du vernis transparent

Coquetiers en terre

Offrez-les ou décorez-en la table le jour de Pâques : ces coquetiers en terre sont bon marché et très faciles à réaliser. Vous pouvez les orner de motifs les plus divers, trouvés dans ce livre ou nés de votre imagination.

1. Recouvrez votre plan de travail de vieux journaux et enfilez un tablier. Avant de commencer à peindre, plongez les pots de terre dans l'eau pendant quelques instants. Ainsi, ils absorberont moins de couleur.

2. A présent, choisissez la couleur de fond et appliquez-la au pinceau. Si vous utilisez des teintes claires, appliquez au préalable une couche de couleur blanche comme apprêt. Vos couleurs seront alors plus lumineuses. La couche d'apprêt sèche très vite, car la terre est un matériau très absorbant. Tâtez du doigt le fond

du pot pour voir si la peinture est déjà sèche. Si c'est le cas, vous pouvez commencer à appliquer les couleurs.

3. Pour tracer sans peine des lignes horizontales et des lignes auxiliaires pour vos motifs, placez un crayon sur un objet quelconque et maintenez-le d'une main en faisant tourner le pot directement contre la pointe.

4. Décorez le coquetier avec d[es] motifs copiés de la feuille de patro[n] ou dans des revues. Reportez [le] motif choisi sur du papier-calqu[e] et découpez-le. Placez-le sur le p[ot] de terre et retracez les contours a[u] crayon jaune.

5. Coloriez les motifs avec de [la] couleur appliquée au pinceau. Lor[s]-qu'une couleur ne vous paraît pa[s] assez intense, appliquez une seco[nde] de couche.

6. Vous pouvez souligner les co[n]-tours avec un crayon-feutre noir [à] pointe fine.

7. Laissez bien sécher et appliqu[ez] une couche de vernis incolore [à] l'intérieur et à l'extérieur du po[t.] Travaillez dehors lorsque c'est po[s]-sible.

Œufs de Pâques lestés de plâtre

- des œufs vidés
- de la pâte à modeler
- une paille
- un coquetier
- de vieux journaux
- un godet en plastique
- de l'eau
- un fouet
- du plâtre
- de l'essuie-tout
- des couleurs acryliques
- un pinceau
- une petite casserole d'eau
- du papier-calque
- un crayon
- des ciseaux
- de la colle universelle
- du papier à dessin
- une perforatrice

Ces petits bilboquets confectionnés avec des œufs vidés égaieront la table pascale. Dès qu'on les pousse du doigt, ils tournent sur eux-mêmes et se balancent d'avant en arrière.

. Commencez par vider les œufs. Veillez à faire de tout petits trous; s'ils étaient trop grands, vous n'arriveriez plus à les reboucher.

. Du côté arrondi de l'œuf, bouchez le trou avec de la pâte à modeler.

. Insérez dans le second trou une paille coupée de manière à laisser dépasser un petit bout. Placez l'œuf dans un coquetier ou un carton à œufs.

. Recouvrez le plan de travail de vieux journaux et préparez un peu de plâtre. Le plâtre sec est vendu dans de petits récipients en plastique, en général pourvus d'un bec verseur. Ajoutez de l'eau en remuant pour obtenir une pâte de la consistance du lait condensé.

. Versez délicatement le plâtre dans l'œuf au moyen de la paille. L'œuf devrait être rempli à peu près à moitié. Débarrassez-vous immédiatement de l'excédent car le plâtre prend très vite.

6. Placez l'œuf à la verticale pour que le plâtre durcisse en remplissant la moitié inférieure. Pour qu'il se solidifie très vite, mettez le tout au four à 50°C.

7. A présent, décalquez les modèles de la feuille de patrons et reportez-les sur du papier à dessin avant de les découper.

8. Entre-temps, le plâtre a pris à l'intérieur de l'œuf. Vous pouvez peindre celui-ci avec des couleurs acryliques.

Lapin

1. Peignez l'œuf en brun.

2. Prenez les oreilles décalquées de la page 215 et découpées au préalable. Collez l'intérieur de l'oreille blanc sur chaque grand élément brun pour que le bord brun dépasse bien de tous les côtés.

3. Ensuite, pliez le bord de chaque oreille en suivant les pointillés et collez-les solidement de part et d'autre de l'œuf, en les plaçant un peu de biais.

4. Collez les éléments des yeux l'un sur l'autre : la prunelle noire sur l'oeil blanc, et enfin le tout sur l'œuf.

5. Pour faire le nez, collez un petit triangle noir ou brun au bon endroit. Vous pouvez aussi le dessiner en même temps que le museau.

6. Pour la moustache, découpez de fines bandes de papier à dessin et collez-les de part et d'autre du nez.

Coq

Pour le coq, l'œuf peut rester blanc.

1. Découpez deux fois la crête (d'après le modèle de la page 215) dans du papier à dessin rouge et collez les dents ensemble jusqu'aux pointillés.

2. Pliez le papier à dessin restant vers l'extérieur en suivant les pointillés. Badigeonnez les languettes d'un peu de colle et collez la crête à la pointe de l'œuf.

3. Pour les yeux, vous pouvez prendre deux petites rondelles de papier dans le réservoir de la perforatrice. Collez-les de part et d'autre de la crête.

4. Pliez le bec en deux en suivant les pointillés, enduisez le pli d'un peu de colle et collez-le au milieu de l'œuf, un peu au-dessous des yeux.

5. Pour la queue, découpez quelques bandes de papier de couleurs vives et collez-les à l'arrière de l'œuf. Frisez-les légèrement avec des ciseaux pour qu'elles soient recourbées.

Indien

1. Préparez l'œuf en le peignant en rouge-brun.

2. Prenez une bande de papier à dessin d'environ 20 cm de long. Elle doit mesurer environ 2 cm de large au milieu et se rétrécir vers les bords. Voici un bandeau qui, décoré de plumes, ornera le front de votre Indien.

3. Piquez la plus grande plume au centre du bandeau et collez de part et d'autre des plumes de couleurs différentes de plus en plus petites.

4. Enduisez le bord inférieur du bandeau d'un peu de colle et collez la parure sur le tiers du sommet de l'œuf. Laissez pendre librement les extrémités.

5. Collez le nez, un triangle reporté de la page 215 et plié en deux suivant les pointillés. Enduisez de colle les parties repliées vers l'intérieur.

6. Pour les yeux, prenez des rondelles de papier dans le réservoir de la perforatrice et collez-les sur l'œuf au-dessous de la parure.

Chinois

1. Commencez par peindre tout l'œ en jaune.

2. Découpez le chapeau chino (page 215) dans du papier àdes jaune. Entaillez-le en partant du bo jusqu'au centre en suivant la ligr Ensuite, poussez l'un des bords ju qu'aux pointillés et collez les parti superposées.

3. Collez le chapeau terminé sur pointe de l'œuf.

4. Reportez les yeux et le nez de page 215 sur du papier à dess découpez-les et collez-les sur l'œ comme indiqué sur l'illustration dessous.

5. Tressez une natte avec trois fin bandes de papier à dessin noir collez-la au revers du chapeau, l'arrière de la tête.

Animaux en terre cuite

- de l'argile blanche, rouge et noire
- du fil d'acier à découper
- un rouleau à pâtisserie
- une planche à découper
- du papier-calque
- du papier à dessin
- des ciseaux
- un couteau
- une brochette
- des moules pour biscuits
- du papier journal
- de l'engobe blanc, rouge et brun
- de petits godets
- un pinceau
- du fil à coudre

Vers Pâques, ramenez à la maiso[n] un bouquet de forsythias ou de bran[n]ches de noisetier. Impossible de s[e] tromper, le printemps est là ! Pou[r] décorer votre bouquet, accrochez-[y] des oiseaux et des lapins en ter[re] cuite. Ces petits animaux produiro[nt] également un très bel effet si vous e[n] décorez une branche de noisetie[r] suspendue au plafond.

1. A l'aide du fil d'acier, coupez dans le bloc d'argile une tranche de l'épaisseur d'un doigt.

2. Placez celle-ci sur la planche à découper et étalez-la un peu au moyen du rouleau à pâtisserie. Retournez la terre de temps à autre pour qu'elle ne colle pas à la planche.

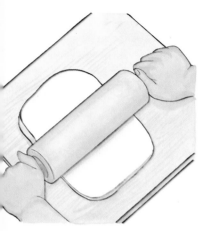

. Reportez les oiseaux de la page 11 sur du papier à dessin et découpez des patrons. Placez ceux-ci sur argile et retracez les contours au moyen d'une brochette.

. Retirez le patron et découpez l'oiseau avec un couteau. Vous pouvez ussi découper le lapin avec un oule à biscuits.

5. Humectez-vous les doigts pour lisser les bords. Sur les deux faces de la tête, enfoncez le côté émoussé de la brochette dans l'argile pour dessiner les yeux. Les oiseaux seront encore plus jolis si vous faites des rainures pour marquer les ailes et la queue. N'oubliez pas de faire un trou pour pouvoir y passer le fil !

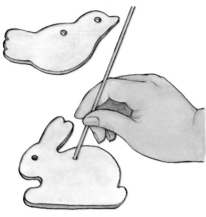

6. Placez les oiseaux et les lapins sur une autre planche à découper et recouvrez-les avec un journal avant de les laisser sécher. L'argile ne doit pas sécher trop vite, car les bords risqueraient alors de se déformer.

7. Le lendemain, préparez l'engobe. Versez la poudre dans un petit godet en plastique et ajoutez l'eau petit à petit. L'enduit doit avoir la consistance du lait condensé. Attention à éviter la formation de grumeaux.

8. Au moyen d'un pinceau, appliquez l'enduit sur les deux faces de l'oiseau pour colorer le bec, les yeux et éventuellement les ailes.

9. Laissez vos oiseaux et vos lapins sécher encore 3 jours avant de les cuire. En général, les magasins qui vendent de l'argile sont aussi équipés pour la cuire. Faites bien attention pendant le transport ! L'argile sèche est fragile et vos animaux risquent de se casser.

10. Après la cuisson, passez un fil à travers le trou et accrochez vos animaux à votre guirlande ou à votre bouquet printanier.

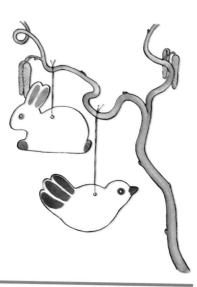

Couronne
aux oiseaux

- une couronne d'osier
  (20 cm de diamètre)
- des oiseaux avec
  des attaches en fil de fer
- un ruban pour cadeaux
  (env. 90 cm)
- du lichen d'Islande
- des brins d'herbe
- autant de plantes séchées
  que nécessaire
- de la colle universelle
- une pince

Vous trouverez dans un magasin de bricolage la couronne d'osier, les oiseaux avec leurs attaches en fil de fer, le lichen d'Islande et le ruban pour cadeaux. Quant aux autres plantes, vous pouvez les cueillir et les faire sécher vous-même.

1. Commencez par coller le lichen d'Islande sur la partie inférieure de la couronne pour faire une base.

2. Travaillez ensuite des deux côtés en collant les plantes séchées sur la couronne en orientant les pointes vers le haut. Les épis d'herbe produisent un effet particulièrement décoratif.

3. Installez les oiseaux en enfonçant l'attache en fil de fer dans la couronne. Tordez un peu le fil de fer sur l'envers et coupez le bout avec une pince.

4. Pour terminer, mettez le ruban. Commencez par le plier en deux et nouez les extrémités. Le nœud servira plus tard à accrocher la couronne.

5. Placez la boucle du ruban autour de la couronne et passez le nœud à travers la boucle en tirant vers le haut.

Accrochez cette belle couronne à la porte de votre chambre — quelle que soit la saison, elle accueillera chaleureusement tous vos amis.

Fête des Mères

Voici une occasion sympa de montrer
à votre maman que vous l'aimez.
Et rien de tel que de réaliser vous-même
le cadeau que vous lui offrirez !
Vous trouverez certainement
dans ces pages une idée
qui correspond à ses goûts.

Baisers de tout cœur:
un billet pour la Fête des Mères

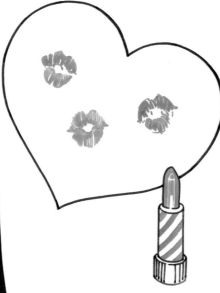

- du papier à dessin blanc
  (format A5)
- du papier carbone
- un crayon
- du carton léger
  rouge ou gris (format A4)
- une feuille de papier blanc
  (format A4)
- un rouge à lèvres
  d'un rouge éclatant
- 2 petits rubans blancs
  (1 x 20 cm chacun)
- 1 petit ruban rouge
  (0,5 x 60 cm)
- un cutter de tapissier
- des ciseaux
- de la colle universelle

ne faut pas nécessairement beau-
oup d'efforts, de travail et de persé-
érance pour réaliser une carte de
œux pour la Fête des Mères. Cela
eut être une activité amusante. Et
ourquoi donc la Fête des Mères ne
erait-elle pas l'occasion de nom-
reux éclats de rire ?

Commencez par reporter le grand
œur de la page 217 sur le papier à
essin blanc.

Appliquez sur vos lèvres une épais-
e couche de rouge à lèvres de cou-
ur rouge vif.

Couvrez le cœur dessiné de "bai-
rs" en pressant les lèvres en diffé-
nts endroits à l'intérieur de la ligne.
emettez un peu de rouge à lèvres
ntre deux baisers.

6. Variante: vous pouvez imprimer les baisers directement sur la carte de carton gris; pliez alors le papier pour le réduire au format A4, placez-le à l'intérieur de la carte et fixez-le en place en nouant le ruban rouge.

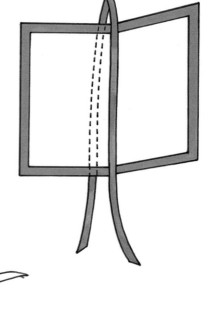

4. A présent, découpez le cœur et collez-le sur le carton rouge déjà plié pour former la carte.

5. Pour terminer, prenez le cutter de tapissier pour faire de petites entailles de 1,5 cm de long dans le carton rouge. Passez-y les rubans blancs en partant chaque fois de l'extérieur vers l'intérieur de la carte, où vous les fixerez avec un point de colle. Ecrivez le texte de la carte sur une feuille de papier blanc normal et collez-le à l'intérieur de la carte avant de l'atta-cher avec un joli nœud.

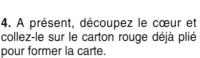

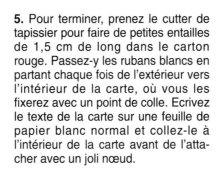

Sachet-surprise

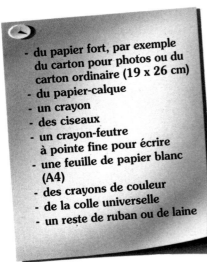

- du papier fort, par exemple du carton pour photos ou du carton ordinaire (19 x 26 cm)
- du papier-calque
- un crayon
- des ciseaux
- un crayon-feutre à pointe fine pour écrire
- une feuille de papier blanc (A4)
- des crayons de couleur
- de la colle universelle
- un reste de ruban ou de laine

Cette fois-ci, ce n'est pas un cœur que votre maman recevra, mais un petit sachet — où se cache aussi un cœur, qui sait ?

Cette carte est très simple à réaliser et vous trouverez probablement chez vous tous les matériaux nécessaires.

1. Pliez le carton pour photos en deux en rabattant les deux côtés de 19 cm de long l'un sur l'autre. Lissez bien le pli.

2. Reproduisez le modèle du sachet de la page 212 en vous servant d'un crayon et d'une feuille de papier-calque. Reportez-le sur le carton pour photos. Les parties en pointillé doivent se trouver exactement sur le pli de la carte.

3. A présent, découpez le sachet en évitant les pointillés, qui doivent rester intacts. Ouvrez la carte.

4. Découpez une fleur ou un coeur dans du papier blanc (vous pouvez aussi prendre un joli papier cadeau sur lequel il est possible d'écrire).

Si vous voulez, décalquez l'un ou l'autre de ces motifs de la page 217.

Sur l'un des deux motifs, écrivez un joli poème pour votre maman.
Par exemple:

Chère Maman,
Je voudrais en ce jour heureux
te donner ce sac plein de vœux,
de pensées et de mercis
que j'ai rassemblés ici.
J'ai fait le dessin moi-même
pour te dire que je t'aime.

5. Enduisez de colle l'envers du papier et collez le texte sur la face intérieure droite du sachet.

6. Si vous voulez, vous pouvez utiliser une seconde feuille de papier blanc pour faire un dessin (un bouquet de fleurs ou un autoportrait) que vous collerez sur la face intérieure gauche du sachet.

7. Ensuite, refermez votre carte. Vous pouvez encore écrire un petit mot par exemple "Bonne Fête, Maman" sur le sachet. Signez de votre prénom et nouez le ruban autour du sachet.

'enêtre
pour la fenêtre

- du carton fort (A5)
- du papier-calque
- un crayon
- des ciseaux
- des ciseaux à ongles
- de la colle universelle
- une feuille de dentelle
  en papier
- des fleurs séchées
  ou pressées
- 3 pinces à linge
- du fil et une aiguille
  ou une attache

ette jolie image en forme de fenê-
e, facile à réaliser, fera un très beau
adeau.

our la faire vous-même, vous avez
choix entre deux techniques :

- si vous voulez obtenir une image
ut à fait plate, placez au préalable
ps fleurs entre deux serviettes et
ettez-les sous presse sous quel-
ues livres assez lourds.

- si vous préférez une image en
lief, prenez des fleurs séchées au
eu de fleurs pressées.

. Reportez le modèle de la fenêtre
e la page 220 sur le carton à des-
n.

. Découpez-le en utilisant les ciseaux
ongles pour les petites surfaces.

. Découpez les rideaux dans la den-
lle en papier. Placez la fenêtre sur
elle-ci et choisissez la partie de la
entelle que vous voulez utiliser.
nsuite, retracez au crayon les con-
urs de la fenêtre à l'endroit choisi.

4. Découpez les formes correspondantes et collez-les sur l'envers de la
fenêtre.

5. Placez les fleurs sur l'endroit de la
fenêtre et fixez-les avec de la colle.
Pour les pots, utilisez des restes de
carton pour photos, maintenus en
place avec des pinces à linge jusqu'au
moment où la colle est sèche.

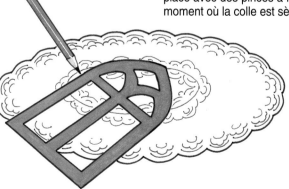

Images
d'enfants sages

Une photo d'enfant dans un beau cadre décoré - de quoi faire plaisir à toutes les mamans, et aux grands-mères aussi. Et la réalisation du cadre est à la portée de tous les doigts.

1. Prenez une belle photo et choisissez la forme du cadre qui la mett bien en valeur.

Vous trouverez dans les pages 2 et 217 des modèles en deux gra deurs différentes. Le petit modè sert à découper la photo et le gra modèle à réaliser le cadre propr ment dit.

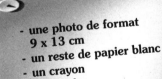

- une photo de format
  9 x 13 cm
- un reste de papier blanc
- un crayon
- une règle
- des ciseaux
- du carton pour photos
- du papier crépon
- un reste de laine
- de la colle universelle
- une perforatrice

Reportez le petit modèle sur du papier blanc et découpez-le. Reportez le grand modèle directement sur carton pour photos et découpez-le également.

Placez la photo à l'envers contre une source de lumière. Vous verrez apparaître une silhouette à contre-jour. Placez le petit patron de papier blanc contre celle-ci et remettez le tout sur la table, en veillant à ce que la photo ne se décale plus.

Ensuite, retracez au crayon les contours du patron et découpez la photo pour obtenir la forme souhaitée.

Collez la photo sur le grand morceau de carton pour photos. La voici cadrée.

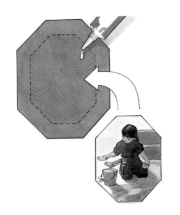

Décoration du cadre : rosettes en papier crépon

1. Pour pouvoir accrocher la photo, tournez le cadre à l'envers, trouvez la ligne médiane en vous servant d'une règle et percez un trou à 1 cm de part et d'autre de cette ligne.
2. Choisissez un papier crépon de couleur assortie à celle du cadre. Découpez des morceaux d'environ 5 x 4 cm et roulez-les en boule en serrant bien fort.

3. Collez ces boulettes les unes près des autres sur tout le pourtour du cadre.

4. A présent, roulez une cordelette en suivant les indications de la page 105 (album pour photos). Pour la cordelette, prenez 4 fils de laine de couleur assortie et d'environ 45 cm de long.

5. Pour terminer, passez la cordelette à travers l'un des trous en partant de l'envers vers l'endroit, puis à travers le second trou. Faites également un nœud à l'autre extrémité pour que la cordelette ne se défasse pas.
Le cadre est prêt, il ne reste plus qu'à l'emballer — et à l'offrir.

Cadre ovale en papier crépon

1. Découpez dans un carton fort le modèle de la p. 217.

2. Prenez deux bandes de papier crépon de largeurs différentes : 3 x 100 cm et 4 x 100 cm (l'un peut être un peu plus foncé que l'autre).

3. Collez le papier le plus large tout autour du cadre en le plissant comme sur le dessin.

4. Faites la même chose avec le second papier mais en laissant apparaître 5 cm de la bordure du dessous.

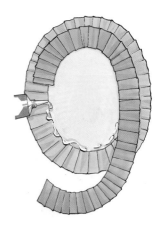

5. Collez votre photo au centre.

6. Encadrez-la d'un carton léger ovale.

Couronne et cœurs

- 6 grands cœurs en pâte à sel
- 6 petits cœurs en pâte à sel
- un crayon doré
- du papier-calque
- un crayon
- du papier blanc (format A5)
- des ciseaux
- de la colle universelle
- un ruban pour cadeaux en tissu rouge (0,5 cm x 3 m)
- une couronne de paille (20 cm de diamètre)
- des épingles
- un peu de fil de fer fin
- 10 petites pommes rouges

Pour les cœurs en pâte à sel:

- 1 tasse de sel
- 1 tasse de farine
- une tasse remplie d'eau
- un bol
- du papier sulfurisé
- un rouleau à pâtisserie
- une plaque à gâteaux
- des moules à biscuits en forme de cœur de 2 grandeurs différentes
- un cure-dents
- des bouchons

Le cœur est le symbole de l'amour. Quoi de plus approprié, par conséquent, que d'offrir pour la Fête des Mères une guirlande de cœurs d'o[…] accrochés à une couronne de pail[…] joliment décorée ? Sur chaque cœu[…] vous pouvez inscrire un petit mo[…] gentil ou une promesse. La couronn[…] peut être accrochée verticalement [à] un mur ou suspendue au plafond, [à] l'horizontale.

. Commencez par préparer la pâte à sel dans laquelle vous découperez les cœurs. Prenez un bol et mélangez-y la farine et le sel. Ajoutez la quantité d'eau indiquée.

. Placez sur votre plan de travail une feuille de papier sulfurisé et étalez la pâte sur celui-ci. A l'aide des moules, découpez les cœurs: 6 grands et 6 petits. Servez-vous d'un cure-dents pour imprimer des motifs à environ 1 cm du bord sur le pourtour. Percez chaque coeur d'un trou pour pouvoir accrocher.

. Lorsque vous avez fini de décorer les cœurs, mettez-les sur une plaque à gâteaux recouverte de papier sulfurisé. Ensuite, mettez la plaque au four et faites sécher les cœurs 2 à 3 heures à 125°C. Maintenez la porte du four entrouverte en la calant avec un bouchon.

. Lorsque les cœurs sont bien secs, laissez-les refroidir. Vous pouvez ensuite les colorier avant de les recouvrir de vernis transparent. Cette couche de vernis est importante, car elle empêche la pâte à sel d'absorber l'humidité et de se désagréger. Vous pouvez ranger le restant de la pâte dans un godet en plastique pour la réutiliser à une autre occasion. Conservez-la au frais.

. A l'aide d'un crayon doré, coloriez les bords des cœurs et les points en creux. Coloriez les petits cœurs de la même manière.

. Collez sur les grands cœurs des cœurs en papier blanc, un peu plus petits, décalqués de la page 221 et reportés sur une feuille blanche. Découpez-les et décorez les bords au crayon doré.

7. Vous pouvez écrire sur les cœurs de papier des promesses pour votre maman : sortir la poubelle, nettoyer la chambre, promener le chien, faire la vaisselle... et d'autres choses qui lui feraient plaisir. De petits mots gentils, comme "Je t'aime, maman", seront certainement tout aussi appréciés.

8. Passez maintenant le ruban fin dans le trou d'un grand cœur et collez l'extrémité au ruban juste au-dessus de celui-ci. Prenez des morceaux de ruban de longueurs différentes (45, 37, 27 et 22 cm). Accrochez un grand cœur à chacune des extrémités des rubans les plus longs.

9. Prenez maintenant les petits cœurs: vous en fixerez 2 plus tard sur la couronne avec des épingles. Reliez les autres 2 par 2 avec un ruban d'environ 15 cm de long.

10. Maintenant que les coeurs sont prêts, vous pouvez commencer à décorer la couronne. Fixez le ruban rouge à la couronne au moyen d'une épingle et enroulez-le autour de la couronne. Lorsque vous en aurez fait le tour, coupez le bout du ruban et fixez-le avec une épingle.

11. A présent, mettez dans la couronne un morceau de fil de fer tordu sur l'envers pour faire une boucle. Celle-ci servira à accrocher la couronne.

12. En vis-à-vis de ce crochet, sur l'endroit, placez dix petites pommes rouges. Comme elles ont des attaches en fil de fer, vous pouvez les piquer tout simplement dans la couronne en tordant un peu le fil.

13. Tout à côté des petites pommes, fixez avec une épingle un ruban avec deux petits cœurs pour qu'ils soient suspendus à des hauteurs différentes. Piquez encore un coeur avec une épingle. Fixez les trois autres de la même manière sur l'autre courbe de la couronne.

14. A présent, vous pouvez accrocher les grands cœurs. Les rubans qui ne portent qu'un seul coeur seront fixés sur l'envers de la couronne avec des épingles. Lorsqu'un ruban en porte deux, laissez-les pendre librement de part et d'autre de la couronne. Disposez ainsi tous les cœurs à des hauteurs différentes pour que l'ensemble produise un bel effet décoratif.

Hérissons en terre et en cresson !

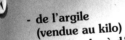

- de l'argile
  (vendue au kilo)
- une planche à découper
- un couteau
- une brochette
- une tasse remplie d'eau
- du carton résistant
- du terreau
- des graines de cresson

Un hérisson rempli de cresson, voici un cadeau particulièrement original. Et très joli ! Les "piquants" peuvent être taillés et semés à nouveau. Vous trouverez l'argile dans les grands magasins spécialisés en bricolage, où, en général, on peut aussi faire cuire et émailler les ouvrages terminés.

Important : pensez à commencer a moins 4 semaines avant la Fête de Mères pour que votre cadeau so prêt à temps.

. Posez le bloc d'argile sur la plan-
he à découper et coupez une tran-
he d'environ 1 cm d'épaisseur.
ecouvrez le restant avec un film
lastique ou un linge humide pour
ue l'argile ne se dessèche pas.

. Tapotez légèrement du plat de la
ain la surface de la tranche d'argile
our la rendre lisse et malléable.
etournez la tranche et tapotez l'au-
e face de la même manière. Répé-
z l'opération trois ou quatre fois de
uite.

. A présent, façonnez le bord de la
anche d'argile entre le pouce et
ndex pour former les parois. Etirez
un des côtés pour faire une pointe
ui deviendra le museau du hérisson.

4. Plongez l'index dans la tasse d'eau
posée à proximité et lissez les inégalités à l'intérieur du hérisson.

5. Lissez avec des doigts humides les
plis qui se sont formés sur le rebord.
Les petites inégalités font tout le char-
me de cet ouvrage "artisanal".

6. Prenez un petit morceau d'argile et
enfoncez-le dans la pointe pour faire
la tête du hérisson. Passez de nouveau les doigts sur les rebords pour
les rendre bien lisses.

7. Travaillez la pointe pour former un
museau légèrement retroussé.

8. Enfoncez la brochette de part et
d'autre du museau pour former les
yeux.

9. Déposez délicatement votre hérisson sur un morceau de carton solide
et laissez-le sécher 1 semaine.

10. Ensuite, faites-le cuire et émailler.
L'émail doit cuire lui aussi; il faudra
donc 8 à 10 jours pour que le hérisson soit tout à fait prêt !

11. Pour terminer, remplissez la cavi-
té de terreau et semez des graines
de cresson. Si vous avez conservé
les graines dans un endroit humide,
elles germeront au bout de 3 à 4
jours. Ce sera alors le moment d'offrir votre cadeau.

Mobile : le soleil, la lune et les étoile

- de l'argile
- une planche à découper
- un rouleau à pâtisserie
  ou une bouteille
- un couteau pointu
- une brochette
- des moules à découper :
  deux étoiles de grandeurs
  différentes et un croissant
  de lune
- un bol (13 cm de diamètre)
- une tasse remplie d'eau
- du carton solide
- un fil de nylon

Ce mobile de terre cuite qui représe**n**
te "le soleil, la lune et les étoile**s**"
produira un très bel effet si vous l'a**c**
crochez dans un courant d'air. N**on**
seulement il est très joli, mais enco**re**
il fonctionne comme un carillon. M**ue**
par le courant d'air, les formes d'argi**le**
oscillent et produisent un très joli so**n**.

Vous en apprendrez davantage s**ur**
l'argile en tant que matériau en lisa**nt**
les indications de la page 92 ("Hé**ris**
sons en cresson").

1. Mettez la planche à découper s**ur**
la table, placez à proximité une tass**e**
remplie d'eau et le bloc d'argile enve**-**
loppé de film plastique.

2. Coupez une tranche d'argile d'e**n**
viron 1 cm d'épaisseur. Recouvre**z**
immédiatement le reste du bloc po**ur**
éviter que l'argile ne se dessèche.

3. Etalez l'argile avec un rouleau **à**
pâtisserie ou une bouteille. Retou**r**
nez plusieurs fois la tranche pour év**i**
ter que l'argile n'adhère à la planch**e**
à découper.

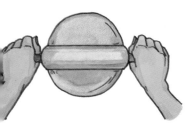

Ensuite, pressez un bol d'environ ̇8 cm de diamètre contre l'argile et ̇écoupez un cercle avec un couteau ̇n suivant les contours du bol.

̇ Déterminez approximativement ̇ milieu du cercle et faites-y une ̇arque avec une brochette. Ensuite, ̇ssinez avec la pointe du couteau ̇s rayons qui partent du centre vers ̇s bords de votre soleil. Les inter-̇alles entre les rayons peuvent être ̇réguliers. Dessinez aussi des ̇ayons sur l'autre face du disque.

6. Pour pouvoir accrocher le mobile, percez un trou avec la brochette d'un côté du disque et répartissez sur le côté opposé trois trous espacés d'environ 2,5 cm. Le soleil est terminé.

7. Passez maintenant à la lune et aux étoiles. Etalez de nouveau un peu d'argile et découpez à l'aide des moules à biscuits un croissant de lune, deux grandes étoiles et deux petites étoiles. Eliminez l'excédent d'argile avec un couteau.

8. Percez la pointe de chaque pièce d'un trou pour pouvoir l'accrocher au mobile.

9. Laissez sécher toutes les pièces pendant une semaine sur un morceau de carton fort. Ensuite, portez-les au magasin pour les faire cuire et émailler.

10. Reliez les différentes pièces par des fils de nylon comme indiqué sur l'illustration. Faites des nœuds bien solides près de tous les trous. Accrochez le soleil au bout d'un double fil de nylon noué tout en haut.

Votre maman se mettra tout de suite à la recherche du meilleur endroit

Vive les vacances !

Au fil de longues promenades,
les passions des collectionneurs
s'éveillent, mais quel dommage
d'entasser tous ces galets, coquillages,
feuilles, branches et autres herbes
sèches dans une caisse poussiéreuse
pour ne plus jamais les en sortir !
Dans les pages suivantes,
nous vous suggérons quelques idées
pour mettre en valeur ces trésors
de vacances. Longtemps après
la rentrée, ils vous rappelleront
les beaux jours.

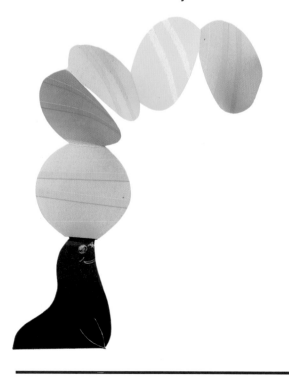

Couleurs soufflées : un pré fleuri

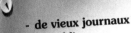

- de vieux journaux
- un tablier
- du papier à dessin blanc
  à surface lisse
  (grand format)
- des pailles
- des couleurs opaques
- un gros pinceau

avec quelle force il faut souffler, vous pourrez dessiner les plus beaux prés multicolores.

1. Recouvrez d'abord la table de vieux journaux et enfilez un tablier.

2. Délayez les couleurs dans une bonne quantité d'eau mais en évitant de trop les éclaircir.

3. Avec le pinceau, laissez tomber une goutte de couleur sur le papier et soufflez aussitôt dans la paille pour la disperser.

Le résultat est déterminé par la manière dont vous tenez la paille et par la force de votre souffle :

Si vous soufflez directement à la veticale, vous obtiendrez de petite fleurs dont les pétales vont dan toutes les directions. En faisant pivter la feuille et en soufflant de biai vous dessinerez une fleur en form d'étoile.Soufflez longuement dar une seule direction pour créer de brins d'herbe parallèles. Des goutte tout à fait ordinaires feront les coco nelles.

Voici une technique de dessin où ce n'est pas la main qui compte, mais le souffle. Il vous faudra plusieurs essais; mais lorsque vous aurez appris

Images de sable

1. Décalquez le motif choisi (ici, le poisson de la page 216) et reportez-le sur le morceau de carton.

2. Placez le carton sur du papier journal et enduisez soigneusement de colle les contours du poisson.

3. Saupoudrez le carton d'un peu de sable sec. Celui-ci adhère de lui-même à la colle. Secouez le dessin pour faire tomber l'excédent de sable dans votre caisse.

4. A présent, mettez de la colle sur l'œil, la bouche et sur quelques rangées d'écailles. Saupoudrez de nouveau l'image de sable et secouez l'excédent dans la caisse.

5. Décorez de cette manière le poisson tout entier.

Lorsque votre image est parfaitement sèche, vous pouvez l'offrir en cadeau ou l'accrocher au mur de votre chambre.

ur réaliser ces images, un bac à ble fera tout aussi bien l'affaire 'une plage. Si vous voulez faire des ages en couleurs, achetez du sable oré au magasin de bricolage.

Cadre pour photos de vacances

- du carton de couleur
- une règle
- une attache autocollante
- des ciseaux
- un bâton de colle
- des trouvailles
  de vacances (coquillages,
  herbes, petits galets)
- des crayons-feutres
  ou des couleurs à l'eau
- 1 attache

Voici un cadre joliment décoré qui mettra parfaitement en valeur les plus jolies des trouvailles que vous avez ramassées sur les plages.

1. Choisissez une feuille de carton de couleur assortie à celle de la photo; découpez un rectangle d'environ 20 x 25 cm et collez solidement la photo au milieu de celui-ci.

2. Ensuite, disposez vos trouvailles tout autour de la photo et fixez-les en place. Enduisez les bords des coquillages de colle et pressez-les contre le carton. Vous pouvez éventuellement les colorier.

3. Pour terminer, fixez l'attache auto collante sur l'envers du cadre.
Trouvez le milieu du bord supérieu faites une marque au crayon et colle l'attache à cet endroit.

Collages
de vacances

- le couvercle d'un grand
  carton à chaussures
  ou un vieux plateau
- du papier transparent bleu
- du sable
- des trouvailles de vacances
- de la colle universelle

Pendant les vacances, toute la famille rivalise d'ardeur pour récolter des coquillages, des galets ou des étoiles de mer. Ces trésors finissent en général oubliés au fond d'un tiroir. Vos plus jolies trouvailles méritent mieux : disposez-les dans un joli décor de sable.

1. Tapissez le fond du couvercle de papier transparent bleu.
Fixez le papier en place par quelques points de colle.

2. Ensuite, remplissez le couvercle de sable.

3. Disposez sur le sable les coquillages et les galets, plantez çà et là quelques herbes sèches ou une plume de goéland. Votre décor est prêt; trouvez un endroit pour l'exposer.

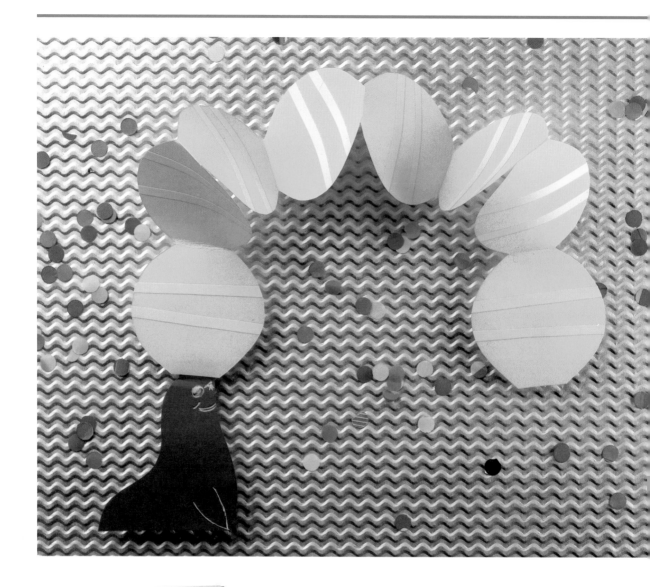

Otarie jongleuse

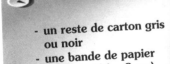

- un reste de carton gris
  ou noir
- une bande de papier
  à dessin (44 x 8 cm)
- du papier blanc
- une règle
- un crayon
- des ciseaux
- de la colle universelle
- un crayon-feutre

Pour dire bonjour à vos amis ou les inviter à regarder chez vous vos photos de vacances, envoyez-leur cette carte tout à fait originale.

1. Décalquez d'abord l'otarie de la page 215 et reportez-la sur le reste de carton. N'oubliez pas de dessiner la ligne pointillée de la tête.

2. Confectionnez ensuite les ballons Pliez le papier à dessin en acco déon. Pour que les plis soient bi réguliers, mesurez avec la règle d intervalles de 7 cm sur le long cô de la bande et faites des repères crayon. Le premier pli en partant bas vers le haut aura donc 7 cm large.

3. Retournez la bande de papier et pliez-la de nouveau vers le haut en respectant l'intervalle de 7 cm.

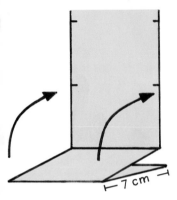

— 7 cm —

4. Continuez à retourner la bande et à plier jusqu'au cinquième et dernier pli.

5. Reportez le modèle du ballon du cahier de patrons sur le papier à dessin plié. Les côtés rognés doivent toujours se trouver sur les plis.

6. Découpez les ballons en les décalant le moins possible pendant l'opération. Ils doivent rester attachés les uns aux autres à l'endroit des plis.

7. Dépliez votre " accordéon " : vous obtenez 6 ballons. Collez le tout dernier à la languette qui se trouve sur la tête de l'otarie comme indiqué sur l'illustration.

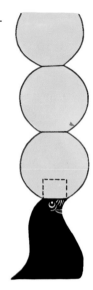

8. Découpez maintenant 12 bandes de papier blanc. Elles peuvent avoir entre 0,5 cm et 1 cm de large.

9. Collez ces bandes sur les ballons, un peu de biais, en les disposant comme vous voulez. Il y a 2 bandes de papier pour chaque ballon.
Coupez les bouts qui dépassent de chaque côté.

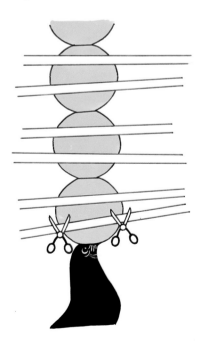

10. Ecrivez votre petit mot ou votre invitation sur ces bandes avec des crayons-feutres de toutes les couleurs. Commencez par le bas et continuez jusqu'au dernier ballon : le texte se lira de bas en haut.

11. Dessinez le museau et les moustaches de l'otarie avec un crayon-feutre.

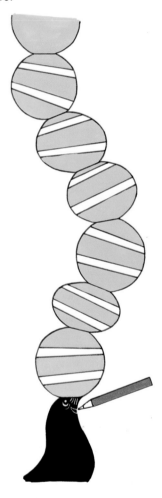

L'otarie jongleuse est prête : il ne vous reste plus qu'à la glisser dans une enveloppe pour l'envoyer ou la donner à vos amis.
Bien entendu, si vous préférez conserver l'otarie pour en décorer votre chambre, n'inscrivez rien dans les bandes blanches des ballons.

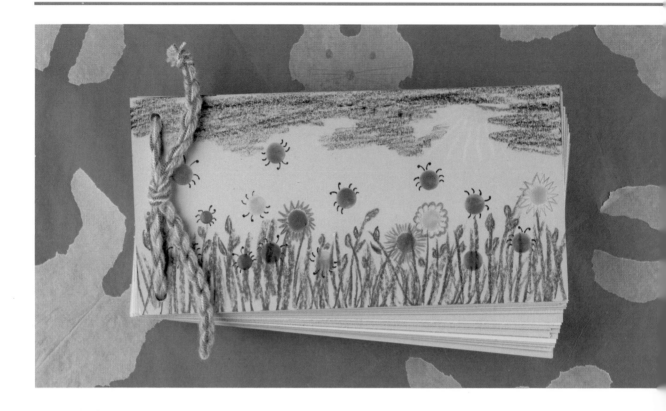

Album pour photos

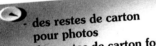
- des restes de carton
  pour photos
- des restes de carton fort
- un crayon
- une règle
- un couteau pointu
- une perforatrice
- des crayons de couleur
  à pointe épaisse
- un stylo à bille
- une bougie
- des allumettes
- des restes de laine
- des ciseaux
- un bâton de colle

Ce joli petit album est prévu pour accueillir des photos de vacances de format 9 x 13 cm. Vous collerez une photo sur chacune de ses pages ; aussi, le nombre de pages dépend du nombre de photos que vous avez prises. L'album peut d'ailleurs être agrandi par la suite.

1. Commencez par mesurer des rectangles de 10 x 20 cm sur le carton pour photos. Tracez les lignes avec une règle et un crayon et découpez les rectangles.

Vous pouvez prendre du carton d'une seule couleur ou de plusieurs couleurs différentes.

2. Pour que l'album soit facile à feuilleter, nous vous suggérons de procéder comme suit: mesurez 2 cm à partir de l'un des petits côtés, placez la règle à cet endroit et tracez de la pointe du couteau une légère rainure en suivant la règle.

Répétez l'opération pour tous les rectangles.

3. Dans la partie délimitée par cette rainure, percez 2 trous à la perforatrice. Préparez de cette façon toutes les pages de l'album.

4. Pour renforcer le tout, découpez bandes de carton fort de 2 cm de large sur 10 cm de long. Percez-les de trous et insérez-les dans l'album en les intercalant toutes les trois ou quatre pages. Ainsi, l'album sera plus épais et les photos le déformeront moins.

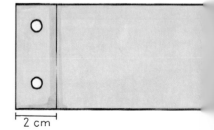

2 cm

5. Coloriez maintenant la page de couverture. Vous pouvez y dessiner un pré avec des crayons à pointe épaisse. N'oubliez surtout pas le ciel et le soleil !

6. Demandez à un adulte de vous allumer une bougie. Lorsque la cire a un peu fondu, laissez couler quelques gouttes sur votre dessin. Vous pouvez utiliser des bougies de couleurs différentes.

7. Les gouttes de cire seront des fleurs ou des coccinelles survolant le pré. Pour les fleurs, dessinez au crayon de couleur des corolles de formes différentes.

8. Prenez un stylo à bille pour dessiner les antennes et les pattes des coccinelles.

9. Pour relier l'album, vous aurez besoin d'une cordelette. Coupez 5 fils de laine de 100 cm de long et nouez-les ensemble aux deux extrémités.

10. Accrochez l'une des extrémités à une poignée de porte; tendez bien les fils et poussez un crayon dans l'autre extrémité. Tenez les 5 fils d'une main au-dessus du crayon et tournez celui-ci de l'autre, toujours dans le même sens, comme les pales d'une hélice. Veillez à ce que les fils restent bien tendus.

11. Lorsque les fils sont bien tendus, décrochez l'extrémité accrochée à la poignée de porte et prenez-la dans la même main qui tient l'extrémité au crayon. La cordelette est à présent double ; elle commence aussitôt à se tordre sur elle-même. De la main libre, lissez cette cordelette vers le bas jusqu'au moment où elle est tout à fait souple.

12. Vous tenez dans l'autre main les deux extrémités de la cordelette. Il ne reste plus qu'à les nouer ensemble : la cordelette est terminée.

13. Placez les pages de l'album l'une sur l'autre en superposant bien les trous.

14. Passez le bout non noué de la cordelette dans l'un des trous, en allant du haut vers le bas, et ressortez la cordelette après l'avoir passée dans le second trou.

15. Tirez la cordelette pour que les deux extrémités soient de longueur égale et faites un nœud.

16. Placez vos photos dans l'album et fixez-les par quelques points de colle.
Quel beau souvenir de vacances !

Radeau de Robinson

Un noisetier ou tout autre buisson dont les branches poussent bien droites vous fournira la matière première pour la construction de ce radeau.

Le modèle présenté ici est tout à fait capable de flotter, mais vous pouvez aussi l'installer bien en vue dans votre chambre. Laissez sécher le bois à température ambiante pendant au moins une semaine, sinon, il rétrécirait par la suite et les cordages du radeau finiraient par se relâcher ! Le radeau illustré ci-contre mesure environ 35 cm de long et 25 cm de large.

1. Rassemblez quelque 27 baguettes (suivant leur épaisseur) dont les longueurs s'échelonnent entre 25 et 35 cm. Coupez-les avec un couteau à la longueur souhaitée.

2. Pour les traversines, prenez 2 baguettes d'environ 27 cm de long. Le radeau sera plus stable si vous le posez sur des traversines coupées en deux ; dans ce cas, le diamètre de la baguette choisie peut être plus grand.

3. Pour le mât, choisissez une très belle baguette d'environ 25 cm de long et taillez-la en pointe à l'une des extrémités.

4. Après ces préparatifs, confectionnez le radeau proprement dit ; c'est un travail de longue haleine qui se fait le mieux à deux.

5. Faites des encoches aux extrémités des traversines pour que la ficelle ne glisse pas. Attachez d'abord toutes les baguettes à la traversine arrière avant de nouer les "cordages" à l'avant. Disposez les baguettes les unes à côté des autres comme vous l'entendez.

6. Passez le milieu d'une ficelle d'environ 1,50 m de long dans l'encoche; placez la première baguette sur la traversine et croisez les deux moitiés de la ficelle au-dessus de la baguette avant de les croiser une nouvelle fois sous la traversine (serrez très fort).

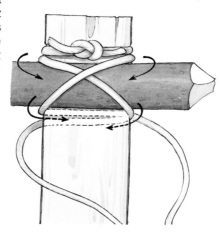

7. Demandez à votre aide de placer la seconde baguette à côté de la première; croisez de nouveau les fils et serrez-les bien. Lorsque vous aurez attaché toutes les baguettes à la première traversine, vous pouvez, le cas échéant, rectifier quelque peu la forme du radeau.

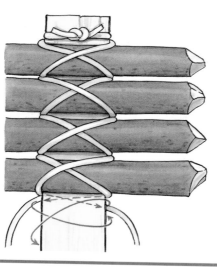

8. Passez ensuite à la seconde traversine. Cette fois-ci, utilisez un crochet assez épais pour passer la ficelle entre les baguettes. Ici aussi, veillez à bien serrer à chaque croisement.

9. Au sommet du mât, faites une encoche où vous nouerez trois haubans. Ceux-ci seront attachés aux deux extrémités de la traversine arrière et à l'avant du radeau pour maintenir le mât à la verticale. Le mât sera plus solide si vous ajoutez un point de colle à la base.

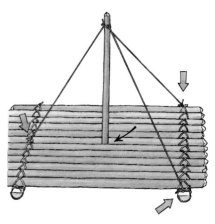

10. Le radeau est presque terminé. Découpez une voile triangulaire aux dimensions appropriées, en ajoutant un ourlet de 1 cm à chaque bord. Placez un bout de ficelle dans chaque ourlet; enduisez les ourlets de colle et refermez-les. Pendant que la colle sèche, vous pouvez imprimer à la voile une forme légèrement bombée.

11. Attachez les fils qui dépassent de la voile à la pointe du mât et aux extrémités de la traversine avant, en évitant de trop les tendre.

Des cadeaux comme s'il en pleuvait

Comme dit le proverbe : " Les petits cadeaux entretiennent l'amitié"..
Les suggestions présentées ici ne manqueront pas de jouer ce rôle.
Réalisés en un tournemain, ces présents font autant de plaisir à celui qui les crée qu'à celui qui les reçoit.
Souvent, les matériaux nécessaires se trouvent déjà à la maison;
pas de temps à perdre en achats, mettez-vous tout de suite à l'ouvrage !

Un, elle pleure, deux, elle rit :
la poupée magique

tonnez vos amis par un tour de
asse-passe; le premier moment de
urprise passé, ils vous applaudi-
ont certainement. Qu'est-ce qu'on
amuse ! Le prestidigitateur promet
son public : " Grâce à ma magie,
ette poupée va commencer à rire
ou à pleurer) derrière mon dos ! "
e secret est tout simple : derrière
on dos, le magicien retrousse très
ite la jupe de la poupée et met
elle-ci la tête en bas. La poupée
ontre maintenant son visage sou-
ant; celle qui pleure a disparu sous
tissu de la robe (ou le contraire).

1. Reportez tout d'abord les contours
de la poupée de la page 223 sur du
carton pour photos et découpez la
figure.

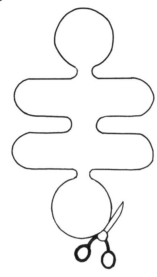

2. Avec un crayon-feutre à pointe
épaisse, dessinez le visage souriant
sur l'une des têtes. Ensuite, retournez la poupée à 180° pour dessiner
sur l'autre tête le visage en larmes.

3. Froncez à petits points l'un des
longs côtés de la bande de tissu pour
qu'il recouvre exactement la " taille "
de la poupée. Terminez en faisant un
nœud.

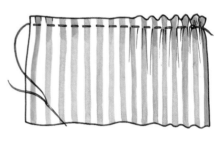

4. Enfin, répartissez bien les plis de
la jupe sur les deux faces du personnage.

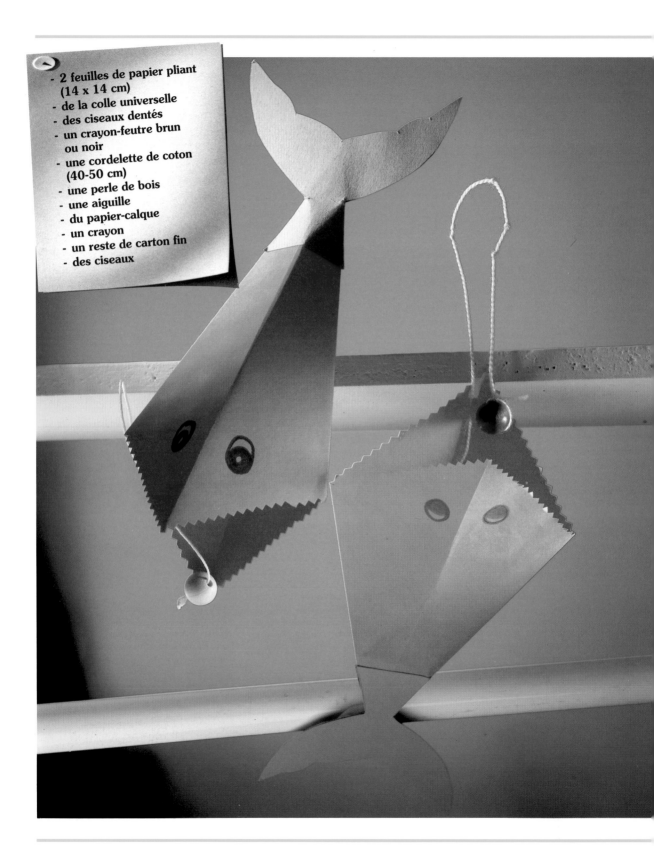

- 2 feuilles de papier pliant
  (14 x 14 cm)
- de la colle universelle
- des ciseaux dentés
- un crayon-feutre brun
  ou noir
- une cordelette de coton
  (40-50 cm)
- une perle de bois
- une aiguille
- du papier-calque
- un crayon
- un reste de carton fin
- des ciseaux

Poisson gobe-perle

lui de vos amis qui recevra ce pois-
on gobe-perle devra certainement
entraîner un peu avant que son pois-
n ne réussisse à "avaler" la perle de
is. La longueur du fil auquel est
iée la perle dépendra de l'âge de
nfant: plus courte pour les tout-petits,
us grande pour les enfants plus âgés.

Prenez l'une des feuilles de papier
ant et rabattez deux coins opposés
n sur l'autre. Lissez bien pour mar-
er le pli; ensuite, dépliez la feuille.

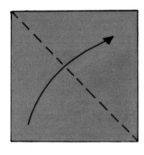

Rabattez deux côtés l'un après l'au-
e sur la diagonale pour obtenir la
me d'un cerf-volant ou d'un cornet.

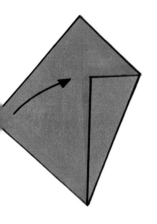

Pliez la seconde feuille de la même
anière.

4. Enfoncez maintenant le premier
" cornet " dans le second. Votre pliage devrait se présenter à peu près
comme sur l'illustration ci-dessous.

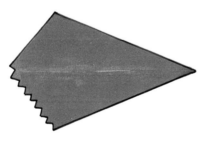

5. Collez les deux cornets ensemble.

6. Prenez des ciseaux dentés pour
découper le côté ouvert du poisson
(gueule); enlevez chaque fois une
toute petite bande, juste ce qu'il faut
pour que les " dents " soient bien visibles.

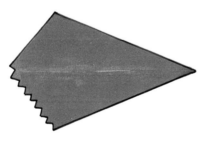

7. Dessinez une paire d'yeux en les
plaçant à égale distance du pli central.

8. A présent, prenez une cordelette de
coton au bout d'une aiguille et passez-
la dans la perle. Faites un nœud à l'extrémité de la cordelette pour que la
perle reste en place. Ensuite, passez
l'aiguille à l'intérieur du poisson et res-
sortez-la à la pointe.

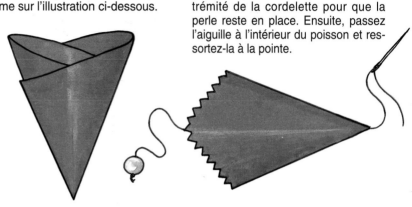

9. Enlevez l'aiguille. La cordelette
doit à peine dépasser à l'extrémité du
poisson.

10. Pour faire la queue, prenez du
papier-calque, un crayon et un reste
de carton assez fin. Reportez à deux
reprises le modèle de la page 215
sur le carton.

11. Découpez les deux éléments
de la queue avec des ciseaux.
Ensuite, collez la pointe du poisson
sur l'une des moitiés de queue. Collez la seconde moitié sur la première
en cachant le bout de cordelette
entre les deux.
Le poisson gobe-perle est terminé ; il
se précipite aussitôt sur sa proie : la
perle de bois. Prenez le poisson en
main et pressez légèrement les côtés
pour qu'il ouvre tout grand sa gueule.

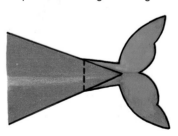

Coccinelle

- du carton pour photos vert
  (20 x 25 cm)
- du papier-calque
- un crayon
- des ciseaux
- un crayon-feutre vert
- du papier à dessin rouge
  (5 x 10 cm)
- du fil de grosseur moyenne
  (25 cm)
- une aiguille à grand chas
- de la colle universelle

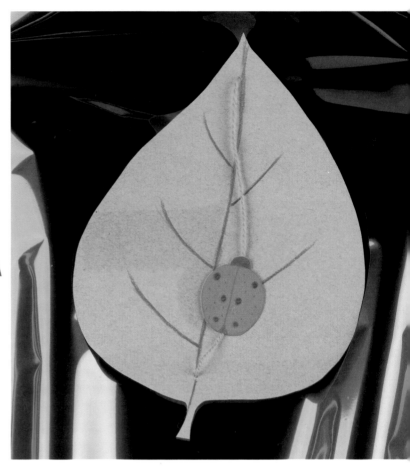

Ce petit cadeau se fait en un clin d'œil. Tous les enfants prennent plaisir à voir la coccinelle monter et descendre le long de sa feuille.

1. Prenez du papier-calque et un crayon pour reporter la feuille de la page 212 sur le carton vert.
N'oubliez pas le point de repère à proximité du pétiole et de la pointe. C'est à ces deux endroits que vous passerez ensuite le fil.

2. Découpez la feuille et épaississez les nervures au crayon-feutre vert. Si vous voulez, vous pouvez dessiner vous-même une autre feuille et la découper.

3. Reportez en deux exemplaires la coccinelle du cahier de patrons sur le papier rouge. L'une des moitiés restera telle quelle et formera le dessous de l'insecte. Reportez sur l'autre moitié les points et la ligne médiane. Vous pouvez changer à loisir le nombre et la disposition des points.

4. Découpez ensuite les deux coccinelles.

5. Prenez à présent un fil assez solide, enfilez l'aiguile et faites un nœud. Piquez la feuille sur l'envers à l'endroit indiqué par un point de repère près de la pointe et ressortez l'aiguille sur l'endroit.

6. Collez la coccinelle à peu près au milieu du fil. Enduisez de colle le dessous de la coccinelle et collez le fil. Celui-ci doit se trouver exactement sur la ligne médiane de l'insecte.

7. Enduisez de colle le dessous de la seconde moitié de la coccinelle, celle où sont dessinés les points et la tête, et recouvrez-en la première moitié. Les deux moitiés sont solidement collées au fil et se déplacent lorsqu'on tire sur celui-ci.

8. Piquez l'aiguille sur l'endroit ⬦ la feuille, là où se trouve le seco⬦ point de repère, ressortez l'aigui⬦ sur l'envers et faites un nœud à l'e⬦ trémité du fil.

9. Lorsque vous tirez sur le fil du c⬦ de la pointe, la coccinelle grimpe s⬦ la feuille. Tirez sur le fil du côté ⬦ pétiole : la voilà qui redescend.

Porte-crayons

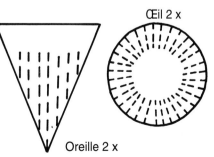

- un rouleau de papier hygiénique vide
- des ciseaux
- un crayon
- une règle
- du papier-calque
- de la colle universelle
- du papier glacé brun, blanc, noir et orange
- une perforatrice de bureau
- un morceau de carton de couleur

...ite réalisé, ce hibou porte-crayons ...ura fière allure sur tous les bureaux.

... Commencez par recouvrir le rou-...au de papier brun. Avec une règle ...t un crayon, dessinez un rectangle ...e 14 x 17 cm sur le papier glacé ...run et découpez-le. Ensuite, badi-...eonnez le rouleau de colle et recou-...ez-le en alignant le papier sur l'une ...es extrémités du rouleau.

... Faites des incisions espacées de ... cm dans l'ourlet restant, repliez les ...nguettes et collez-les solidement à ...ntérieur.

... Ensuite, reportez les modèles ci-...ontre pour faire les yeux, les oreilles, ...s ailes, les pattes et le bec. Décal-...uez chaque contour, reportez-le sur ... papier glacé correspondant et ...écoupez-le. Pour les pupilles, perfo-...ez un morceau de papier glacé noir, ...écupérez les deux rondelles et col-...ez-les au milieu des yeux.

... Pour les yeux, les oreilles, les ailes ...t les pattes, faites des encoches le ...ng des pointillés et frisez légère-...ent les franges vers l'extérieur.

... Collez les différents éléments ...omme indiqué sur la photo.

6. Pour terminer, découpez un cercle de 7 cm de diamètre dans un morceau de carton de couleur et collez-le au-dessous du rouleau.

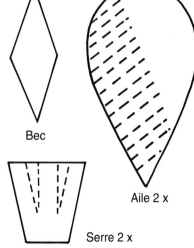

Œil 2 x

Bec

Oreille 2 x

Serre 2 x

Aile 2 x

Patrons à décalquer

 - un reste de papier de soie
  (11 x 16 cm)
- des ciseaux
- du papier-calque
- un crayon
- du papier blanc
- un crayon-feutre brun
  et rouge
- de la colle universelle
- du carton fin (format A5)

Matériaux pour le batik :
- de vieux journaux
- du papier japon
- une pince à épiler
- des couleurs pour batik
- un pinceau à pointe fine
- un fer à repasser

Paon faisant
la roue

Il ne vous faudra que peu de temps
pour réaliser cette carte : il suffit qu
vous trouviez à la maison un reste d
papier de soie. Si vous voulez vou
amuser à faire du batik vous-même
vous trouverez ci-contre toutes le
indications nécessaires. Faites alor
plusieurs feuilles, vous les utilisere
plus tard à d'autres travaux.

Recouvrez votre plan de travail avec quelques vieux journaux. Pliez le papier japon comme indiqué sur les illustrations ci-dessous :

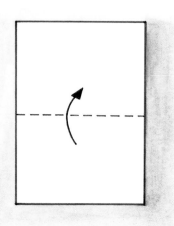

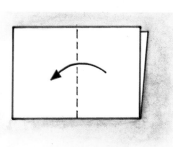

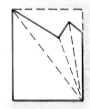

2. Saisissez l' "éventail" en son milieu avec la pince à épiler et plongez les deux pointes l'une après l'autre dans les couleurs souhaitées.

3. Prenez ensuite le pinceau à pointe fine, plongez-le dans une troisième couleur et appliquez-le un instant sur le milieu de votre éventail, qui est resté blanc. Selon la quantité de couleur que vous avez prise sur le pinceau, vous obtiendrez un anneau de couleur ou une série de taches.

4. Dépliez délicatement le papier et laissez-le sécher quelque 5 minutes. Réglez votre fer à repasser sur "soie" et lissez le papier.

Vous pouvez à présent passer à la réalisation de la carte :

1. Avec les ciseaux, coupez la feuille de papier de soie en deux en suivant la ligne médiane. Les motifs colorés forment maintenant un demi-cercle autour d'un point central.

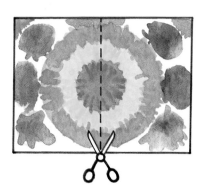

2. Repliez la feuille en deux.

3. Découpez la roue du paon en arrondissant joliment les bords.
Le découpage doit se faire à peu près en parallèle aux anneaux de couleur.

4. Rangez le papier de soie en veillant à ne pas l'abîmer et faites le corps du paon. Avec du papier-calque et un crayon, reportez le modèle du corps de la page 219 sur le papier blanc.

5. Coloriez le corps de l'animal au crayon-feutre brun, sauf un œil et le bec. L'œil restera blanc ; dessinez le bec au crayon-feutre rouge.
Travaillez soigneusement pour ne pas laisser d'autres taches blanches. Ensuite, découpez le corps.

6. Prenez le papier de soie et placez le corps découpé au milieu du demi-cercle, sur l'endroit du papier.

7. Vérifiez si tout est bien comme il faut avant de fixer le sujet à cet endroit en mettant un peu de colle sur l'envers.

8. A présent, prenez une feuille de carton fin (format A5) blanc ou de couleur appropriée; placez-y le paon et choisissez l'endroit où vous voulez le coller. Mettez quelques points de colle sur le carton et étalez-les bien avant de mettre le paon au-dessus.

9. Lorsque la carte est bien sèche, dessinez les pattes et l'aigrette avec un stylo à bille ou un crayon-feutre.

Oiseau-ballon

Mettez-le sur la table comme déco
tion, ajoutez-le à un petit cadeau
décorez-en une porte ou un mur : c
oiseau fait en un tournemain à pa
d'un ballon gonflable se sentira parto
chez lui. Même les tout-petits pre
dront plaisir à le réaliser. Ce n'est p
du tout compliqué, il suffira de l
aider à bien serrer le nœud du ballo

Nous vous donnons ici les explications nécessaires pour réaliser un oiseau, mais il peut s'agir d'un bonhomme d'aspect tout à fait différent avec un chapeau, des cheveux, des oreilles, un nœud papillon, des boucles d'oreilles, des joues bien rouges, des lunettes… tout ce que vous voulez !) Attention : tous ces éléments doivent être collés sur le ballon, et non dessinés. En effet, les différents crayons de couleur pourraient déchirer l'enveloppe. Vous n'aimeriez certainement pas que votre petit bonhomme se dégonfle sitôt terminé !

. Reportez les pattes et le bec de la page 218 sur le carton à dessin et découpez-les.

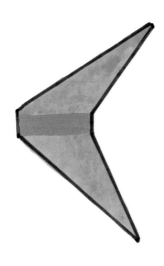

. Pliez le bec sur lui-même en suivant les pointillés. La bande étroite du milieu servira à coller le bec sur l'oiseau.

. Gonflez un ballon sans trop le distendre et fermez-le par un nœud. Vous fixerez la queue au bout de ballon qui dépasse.

. Collez les pattes un peu de biais par rapport au nœud. Maintenez bien le ballon et les pattes ensemble jusqu'au moment où la colle est sèche.

5. Collez le bec un peu de biais sur la partie supérieure (laissez bien sécher!).

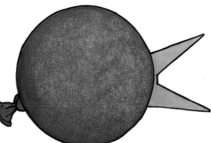

6. Découpez les yeux dans un morceau de papier à dessin jaune et brun et collez la pupille brune (plus petite) sur l'iris jaune.

7. Pour les cils, prenez deux morceaux de papier crépon brun de 4,5 cm de large sur 5 cm de long. Frangez l'un des longs côtés du papier crépon jusqu'à environ 1 cm du bord opposé.

8. Retournez les yeux et collez le papier crépon avec les cils tournés vers le haut (l'extérieur).

9. Après avoir de nouveau retourné les yeux, frisez un peu les cils vers l'avant. Ensuite, collez les yeux avec leurs cils sur le ballon de part et d'autre du bec (maintenez-les bien !).

10. Pour la queue, prenez une bande de papier crépon de 4,5 cm de large et de 25 cm de long. Frangez cette bande de la même façon que les cils et serrez-la avec du fil extra-fort (ne la roulez pas !).

11. Attachez cette touffe au nœud qui ferme le ballon. Les franges doivent être tournées vers l'extérieur.
La queue de l'oiseau est terminée.

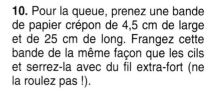

12. Pour la houppe, préparez une bande de papier crépon comme indiqué au point 10. Aplatissez le côté non découpé et collez cette surface sur la tête de l'oiseau (maintenez-la bien !).

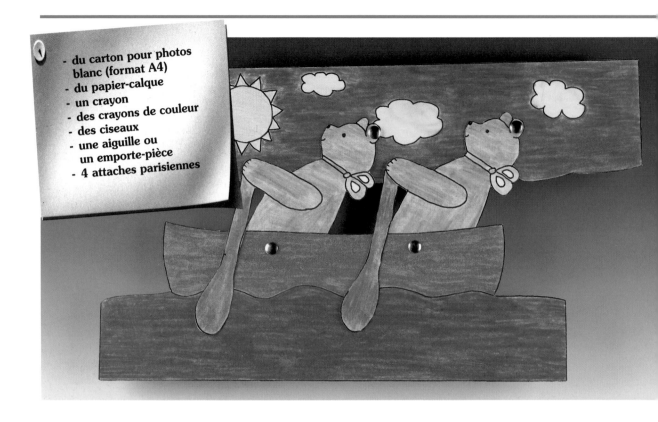

- du carton pour photos blanc (format A4)
- du papier-calque
- un crayon
- des crayons de couleur
- des ciseaux
- une aiguille ou un emporte-pièce
- 4 attaches parisiennes

Oursons rameurs

Les jouets de bois qui fonctionnent selon le même principe que nos oursons rameurs sont connus depuis déjà 200 ans.

Nos oursons rament avec enthousiasme lorsque vous tirez les deux bandes dans des sens opposés.

1. Reportez les quatre modèles (1 ciel, 2 oursons, 1 bateau) de la feuille de modèles sur du carton pour photos blanc. N'oubliez pas de reproduire les points de repère destinés aux attaches parisiennes.

2. Coloriez le ciel, le bateau, l'eau et les deux ours avec des crayons de couleur.

3. Découpez les différents éléments. La ligne qui sépare les rames du corps des oursons doit également être découpée.

4. Prenez une aiguille ou un emporte-pièce pour faire des trous aux endroits indiqués. Si vous vous servez d'une aiguille, agrandissez les trous avec la pointe des ciseaux pour que les attaches puissent y entrer.

5. A présent, reliez les différents éléments avec des attaches parisiennes. Les têtes des oursons sont reliées au ciel.

6. Placez les torses des oursons de rière le bateau. Les rames doive cependant rester sur l'endroit.

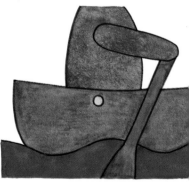

7. Et voilà le travail ! A présent, pou sez le ciel et l'eau dans des dire tions opposées: les oursons se me tent aussitôt à agiter joyeuseme leurs rames.

Porte-clown

- une boule de polystyrène expansé (env. 5 cm de diamètre)
- un petit couteau
- un crayon
- de la colle universelle
- des crayons-feutres
- des restes de laine
- des ciseaux
- du papier crépon (15 x 4 cm)

Voici un petit clown plein de malice qui suivra tous les mouvements de votre crayon pendant que vous écrivez. Pourra-t-il s'empêcher de vous faire des farces ?

1. Commencez par découper dans la boule de polystyrène un trou assez grand pour pouvoir y passer le crayon et collez celui-ci solidement en place. Ainsi, vous aurez une bonne prise pour continuer le travail.

2. Avec un crayon-feutre, dessinez un visage de clown souriant sur la boule. Sur l'image ci-dessous, le dessin n'est pas encore terminé. Vous pouvez colorier les blancs autour des yeux, du nez et de la bouche avec un crayon-feutre orange pour obtenir une couleur "chair" presque naturelle.

3. Avec un reste de laine qui peut même être écarlate, préparez un bon nombre de cheveux d'environ 5 cm de long.

4. Appliquez une ligne de colle sur la boule, à peu près à mi-hauteur, et collez les bouts de laine les uns tout près des autres.

5. Pour terminer, pliez la bande de papier crépon dans le sens de la longueur et faites un nœud papillon que vous fixerez sur le crayon, un peu au-dessous de la boule, avec un point de colle.

N'est-il pas amusant, ce petit clown ? Celui qui le recevra voudra aussitôt se mettre à dessiner.

Barrettes à frisettes

- un coquetier
- du carton (5 x 5 cm)
- un crayon
- des ciseaux
- de la grosse laine
- une grosse aiguille
- une barrette (assez large)
- 2 petits yeux ou 2 perles
- de la colle universelle

ne barrette ornée de colifichets amusants — voilà un cadeau à offrir en ute occasion ; il fera certainement aisir à toutes vos amies.

etit monstre

Placez un coquetier tout à fait ordinaire sur le morceau de carton et tracez son contour au crayon pour obtenir un cercle.

Découpez le cercle et coupez-y une anche de la grosseur d'un quartier.

3. Dans ces trois quarts de cercle, découpez autour du point central un cercle d'environ 1 cm de diamètre.

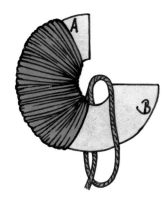

4. Entourez l'anneau de carton de laine en commençant au point A et en continuant à travailler jusqu'au point B. Laissez les deux extrémités de l'anneau à découvert. Coupez le fil restant.

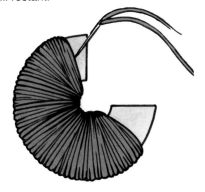

5. Prenez une aiguille et un fil de laine d'environ 30 cm de long.
Le fil doit provenir de la même pelote que la laine qui entoure l'anneau.

6. Poussez délicatement l'aiguille entre l'anneau de carton et le fil de laine et faites tout le tour de l'anneau; ressortez l'aiguille de l'autre

côté et faites un nœud. Toutefois, ne coupez pas le bout restant !

7. A présent, passez les ciseaux dans le bord extérieur de l'anneau pour couper tous les fils de laine qui l'entourent. La tête du monstre est déjà presque terminée. Attention : le fil du point 6 doit encore rester intact!

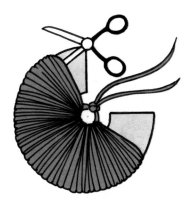

8. Enfilez de nouveau l'aiguille avec ce fil et utilisez-le pour coudre la touffe de laine à la barrette.
Lorsqu'elle tient bien, faites un nœud bien solide à l'extrémité du fil et coupez le bout restant.

9. Pour terminer, collez les yeux dans la touffe de laine : voici un petit monstre qui ne demande plus qu'à se déchaîner sur la tête d'une de vos amies.

Tête d'oiseau

La tête d'oiseau doit aussi avoir des yeux. Veillez à les disposer symétriquement de part et d'autre du bec. Celui-ci est bien sûr constitué par la barrette qui dépasse de la touffe de laine.

Emballer
les cadeaux

Lorsque vous avez réalisé un bel ouvrage,
il faut l'emballer avant de l'offrir.
C'est l'emballage que votre ami verra
d'abord ; vous devez donc le soigner
tout particulièrement.
Il doit éveiller la curiosité : qu'est-ce qui
peut bien se cacher à l'intérieur ?
Il peut aussi être amusant ou tout à fait
original, comme vous allez le découvrir
au fil de ce chapitre.

Papier encré à la main

Imprimer des empreintes de doigts sur toute la surface du papier : voilà de quoi amuser les tout-petits. Pour les plus grands, il suffit d'ajouter aux empreintes quelques traits au crayon-feutre pour que le papier se couvre de pommes, de visages ou de ballons.

1. Au début, les tout-petits auront besoin d'un guide.
Il ne faut pas mettre le doigt tout entier dans la peinture mais y plonger délicatement le bout.

2. Pour imprimer les grandes feuilles dont vous aurez besoin pour emballer vos cadeaux, procédez de gauche à droite (si vous êtes droitier). Ainsi, vous éviterez de toucher par accident des taches de couleur encore humides qui se brouilleraient et saliraient votre dessin.

3. Lorsque les couleurs sont bi[en] sèches, ajoutez quelques traits av[ec] des crayons-feutres pour faire d[es] pommes, des fleurs et des "tr[o]gnons", des ballons au bout de le[ur] ficelle ou des visages souriants.
Cette technique permet aussi [de] décorer des invitations, des carto[ns] de table, des couvertures pour v[os] livres, des signets, des sets de tab[le] et beaucoup d'autres choses.

Carton plié

- une feuille de format A4 d'une couleur au choix (papier cadeau)
- un crayon
- du papier-calque
- des ciseaux
- de la colle universelle

Toutes sortes de petits cadeaux peuvent trouver leur place dans cette attrayante petite boîte : des sucreries et chocolats dans leur papier doré, des pièces de monnaie, des timbres-poste, des bijoux... les possibilités sont illimitées.

1. Décalquez le modèle de la boîte de la feuille de patrons en suivant les instructions de la page 14 et reportez-le sur le papier choisi. N'oubliez pas de reproduire les pointillés !

2. Découpez la boîte.

3. Ensuite, pliez le papier vers l'intérieur en suivant les pointillés.

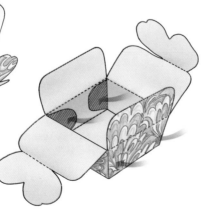

4. Enduisez de colle l'extérieur des 4 languettes à encoller et fixez-les aux parois correspondantes.

5. Les parois latérales sont maintenant dressées à la verticale. Il ne reste plus qu'à mettre les deux éléments du fermoir l'un dans l'autre, et votre jolie petite boîte est terminée.

Boîtes à malices pour petits cadeaux

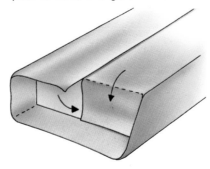

- du papier kraft (ou du papier à dessin ou du papier glacé)
- de la colle pour bricolage
- des ciseaux
- un ruban pour cadeaux
- du papier collant
- un crayon noir
- un cadeau

est-elle pas mignonne, la petite uris ? A la regarder, on en oublie esque qu'il y a quelque chose à ntérieur. L'emballage est assez mple et le même modèle de base rmet un grand nombre d'autres riantes. Par exemple, offrez un ayon à l'enfant qui vient de commencer l'école, un clown pendant le rnaval, une bougie pendant vent... Vous aurez certainement e foule d'autres idées !

Découpez le papier kraft aux dimensions appropriées à celles de la boîte ui contient le cadeau.

Collez ensemble les longs côtés papier kraft.

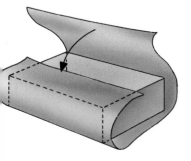

3. Sur le dessous du cadeau, rabattez vers le bas le bord qui dépasse et pliez en suivant l'angle de la boîte.

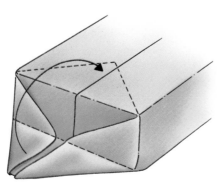

4. Sur le dessus du cadeau, maintenant tourné vers le bas, pliez le bord qui dépasse pour former une pointe. Rabattez celle-ci sur le dessous du cadeau et fixez-la par un point de colle.

5. De l'autre côté du cadeau, laissez la pointe à l'horizontale et collez solidement les deux moitiés pour que la pointe ne puisse plus se déplier : la souris a maintenant une tête.

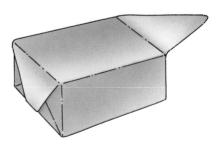

6. A l'arrière, fixez avec du papier collant un petit bout de ruban pour cadeaux frisé pour faire la queue de la souris.

7. Découpez deux oreilles dans un reste de papier kraft et collez-les. Elles doivent se redresser un peu.

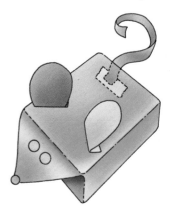

8. A présent, achevez la souris en dessinant deux grands yeux et une truffe noire. Vous pouvez encore lui coller des moustaches.
En procédant de la même façon, vous pouvez réaliser tous les autres emballages qui figurent sur la photo ci-contre. Pour les oreilles, les pattes ou les écailles, donnez libre cours à votre imagination.

Abeille à sucre

Au printemps ou en été, faites pour vos petits cadeaux un emballage en forme d'abeille.

Vous pouvez y mettre un dessin que vous avez fait vous-même, une barrette, de la pâte à modeler, un kit à souffler des bulles de savon, des billes ou peut-être un billet de banque.

Le cadeau retiré de son emballage, l'abeille décorera le mur de la chambre.

1. Découpez d'abord un rectangle de papier crépon brun de 22 x 20 cm.

2. Collez ce rectangle sur le rouleau de papier hygiénique en laissant de part et d'autre un ourlet d'environ 5 cm de large. Plus tard, vous le tordrez comme la cellophane d'une sucrerie avant de le rentrer à l'intérieur du rouleau.

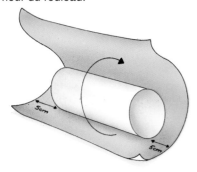

. A présent, découpez trois bandes
le papier crépon jaune de 1,5 cm de
arge sur 17 cm de long. Il n'est pas
ndispensable de les mesurer à la
ègle.

. Collez ces bandes sur le corps
run de l'abeille. Les extrémités doi-
ent se rencontrer sur la ligne où se
ejoignent les bords du papier crépon
run. Collez-les en les superposant
n peu.

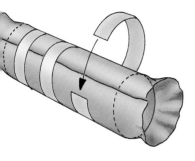

. Reportez les 2 ailes de la page
21 sur un morceau de carton et
écoupez-les.

. Collez les deux ailes sur du papier
répon blanc. En appliquant la colle,
renez garde à ne pas encoller les
ointes des ailes. Il faut qu'elles
oient un peu décollées pour créer
ne impression de mouvement et de
égèreté.

7. Collez les ailes sur le dos de
l'abeille, c'est-à-dire à l'endroit des
raccords, comme indiqué sur l'illustration ci-dessous.

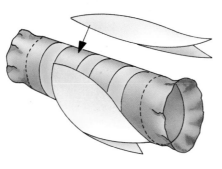

8. Prenez la pince et percez deux
trous dans l'extrémité du rouleau, là
où les ailes se rejoignent, pour pouvoir y insérer les antennes. Faites
deux autres trous dans le dos pour
pouvoir accrocher l'abeille. Veillez à
perforer simultanément le rouleau de
papier hygiénique et le papier crépon
collé par-dessus.

9. Coupez un morceau de cure-pipe
brun de 15 cm de long. Passez-le
dans le trou de droite, à l'intérieur du
rouleau, et ressortez-le par le trou de
gauche en tirant assez pour faire
deux " antennes " de longueur égale.

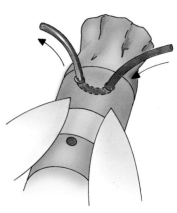

10. Suspension : enfilez une aiguille
à repriser avec un fil de laine et passez celui-ci dans le trou à l'avant de
l'abeille avant de le ressortir par le
trou de l'arrière. Nouez les deux extrémités du fil à la hauteur souhaitée.

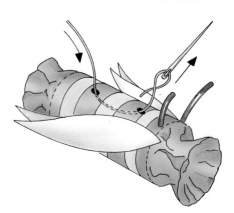

11. Pour terminer, mettez le cadeau à
l'intérieur de l'abeille. Tordez légèrement les bords de papier crépon et
rentrez-les à l'intérieur du rouleau.

Emballage bateau

- du carton pour photos
  (42 x 35 cm)
- un crayon
- du papier-calque
- une règle
- des ciseaux
- une bande de papier
  glacé (34 cm de long)
  et de petites chutes
- des ciseaux dentés
- de la colle universelle
- une pièce de monnaie
- une agrafeuse

Voici un fier petit voilier qui amènera à bon port sa cargaison de cadeaux : un ballon de plage gonflable, des bouées de natation, des animaux en caoutchouc ou des friandises.

1. Décalquez le bateau de la feuille de modèles et reportez-le sur le carton pour photos. N'oubliez pas les pointillés !

2. Faites des encoches entre les parois latérales et le fond du bateau et pliez le carton vers le haut en suivant les pointillés : le bateau est déjà reconnaissable.

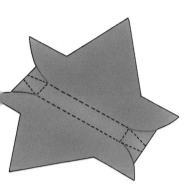

Découpez 4 bandes de papier
[gl]acé d'environ 18 cm de long sur 2
[c]m de large pour décorer les bords
[d]e " pavillons ". Découpez chaque
[fois] l'un des grands côtés avec des
[ci]seaux dentés.

[Si] vous n'avez pas de ciseaux dentés,
[fai]tes simplement des bords ondulés

[ou] des dents plus grandes.

4. Collez ces bandes sur les bords
intérieurs de la voile en laissant
dépasser environ 1 cm à l'extérieur.

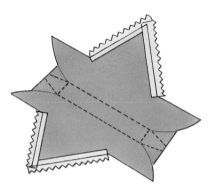

5. Collez deux bandes décoratives
sur les parois extérieures de la coque.
Découpez des bandes de papier
glacé de 34 cm de long sur 1 cm de
large et collez-les sous le rebord
supérieur de la coque. Biaisez les
bouts pour qu'ils correspondent à la
forme de la coque.

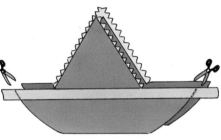

6. Aidez-vous d'une pièce de monnaie pour dessiner 6 hublots circu-
laires sur l'envers du papier glacé.

7. Découpez les hublots et collez-les
au-dessous des bandes décoratives.

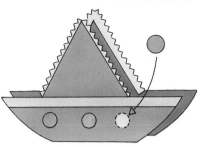

8. A présent, encollez les languettes
et pressez-les contre la coque du
bateau. Sur l'illustration ci-dessous,
les parties qui doivent se superposer
sont indiquées en rouge.

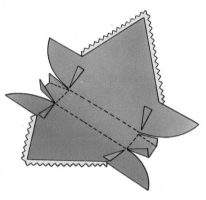

9. Pour terminer, collez ensemble les
deux moitiés de la proue et de la
poupe. Vous pouvez aussi les atta-
cher avec une agrafeuse.
Le bateau doit encore être chargé,
puis offert. Il fera certainement plaisir
au destinataire !

Sachets décorés

Les sachets décorés peuvent servir à une multitude d'occasions. Ils sont réalisés à partir de différents restes de papier. Vous pouvez en faire toute une série; au tout dernier moment, sortez un sachet et décorez-le avec un dessin ou un motif adapté à la circonstance.

Si le sachet est destiné à un cadeau, par exemple un paquet de graines pour les oiseaux, la décoration peut avoir un rapport avec le contenu : ici, c'est un oiseau découpé dans un dessin d'enfant.

Un peu de dentelle en papier et des rubans de tissu suffisent à donner beaucoup d'élégance au sachet qui contient le cadeau de maman. Un sachet où est écrit le texte d'une invitation recèlera sans doute un avant-goût de la fête à venir.

1. Reportez d'abord les modèles de la feuille de patrons sur le verso du papier choisi.

2. Pliez le papier vers le haut ou vers le bas en suivant les pointillés et faites des incisions avec des ciseaux en suivant les lignes indiquées par des traits et des points.

3. Repliez et collez la large bande supérieure à l'intérieur du sachet et collez ensemble les deux languettes de la paroi.

4. Pour le fond, rabattez vers l'intérieur les parties 1 et 2, puis 3a et 3b, et enfin la partie 4, en les fixant ensemble, dans cet ordre, avec de la colle.

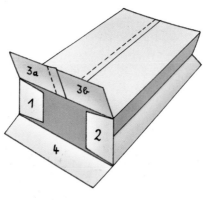

5. Pour perforer la partie supérieure, aplatissez un peu le sachet terminé.

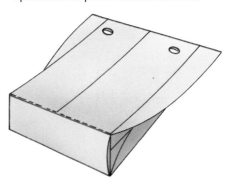

6. Ensuite, rentrez les plis latéraux à l'intérieur.

7. Placez le sachet sur la table, la face arrière vers le haut, et appuyez pour l'étaler. Le pli du fond se creuse de lui-même.

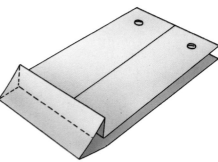

8. Pour terminer, passez une cordelette d'environ 30 cm de long dans les trous et nouez les deux bouts ensemble.

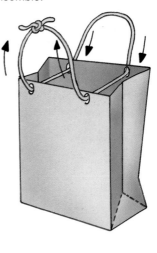

- 2 boîtes de dentifrice
- de la colle universelle
- du papier à dessin
  (20 x 29 cm)
- une règle
- un crayon
- des ciseaux
- un cutter
- du carton ondulé
  (20 x 17 cm)
- du papier-calque

- du carton fort
- une boîte de biscuits
- de vieux journaux
- un tablier
- des peintures acryliques
- un pinceau
- 2 rouleaux de papier
  hygiénique
- un morceau de rouleau
  de carton (env. 4 cm)
- de l'ouate

A toute vapeur : locomoboîte

Cette locomotive multicolore fera u
superbe emballage pour plusieur
petits cadeaux. Composée d'u
assemblage de boîtes différente
elle peut cacher de nombreuses su
prises : par exemple, des crayons d
couleur dans la " cabine " et de
sucreries dans la " chaudière ".

1. Construisez tout d'abord le la cabine de la locomotive en collant deux boîtes de dentifrice ensemble dans le sens de la longueur.

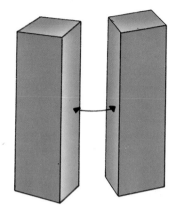

2. Formez ensuite un rouleau d'armature avec du papier à dessin, en faisant une marque à l'endroit où viendra s'insérer la coulisse. Placez le papier à dessin bien à plat sur la table. Au moyen de la règle, tracez une ligne parallèle à l'un des bords de 29 cm, à 2,5 cm de celui-ci. Le plus difficile est fait. En effet, c'est le long de cette ligne que vous collerez ensuite le carton ondulé.

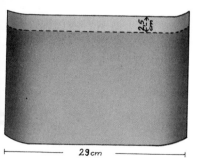

Le long de cette ligne, mesurez à présent une longueur de 10 cm en partant de chacun des petits côtés : il vous reste 9 cm au milieu pour la fente de la coulisse.

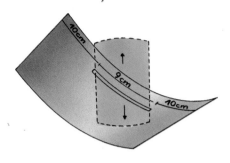

4. Elargissez cette fente en ajoutant 3 mm vers le haut en partant de la ligne. Découpez délicatement ce rectangle de 9 cm x 3 mm. Plus tard, vous placerez dans la fente une coulisse qui empêchera les cadeaux de tomber à tout moment de la chaudière.

5. Après avoir découpé la fente, faites un rouleau avec le papier et collez les deux bords ensemble.

6. Collez le carton ondulé sur le rouleau sans recouvrir la ligne.

7. Décalquez la coulisse et les deux roues arrière de la locomotive de la page 224. Reportez la coulisse sur du papier à dessin et les deux roues sur du carton fort. Découpez les différents éléments.

8. Pour donner à la locomotive un aspect plus joyeux, coloriez les différentes pièces. Recouvrez auparavant votre plan de travail de vieux journaux et mettez un tablier. Comme les boîtes sont recouvertes d'un papier lisse, il faudra appliquer deux couches de peinture. Peignez à l'intérieur et à l'extérieur les deux rouleaux de papier hygiénique qui deviendront les roues avant. Coloriez également les deux roues arrière et le morceau de rouleau de carton (la cheminée).

9. Lorsque les couleurs sont bien sèches, au bout de 10 à 20 minutes, vous pouvez assembler les pièces. Commencez par la cabine, constituée par les deux boîtes de dentifrice collées ensemble. Collez-les à la verticale sur l'une des extrémités de la boîte de biscuits.

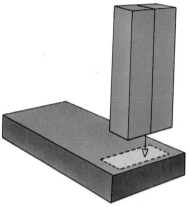

10. A l'autre extrémité de la boîte de biscuits, fixez le rouleau de carton ondulé, la fente tournée vers le haut.

11. Ensuite, collez les deux rouleaux de papier hygiénique qui constituent les roues avant, les deux roues arrière et le rouleau de carton qui forme la cheminée. Veillez à faire cet assemblage sur un plan de travail bien plat.

12. Une véritable locomotive à vapeur doit émettre beaucoup de fumée : pour cela, collez un peu d'ouate au sommet de la cheminée.
La locomotive est terminée : elle n'attend plus que sa cargaison de cadeaux !

Crocogator

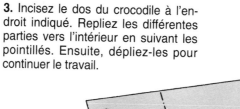

- du papier-calque
- un crayon
- du papier à dessin ou du carton pour photos de couleur verte
- du papier à dessin jaune et blanc
- des ciseaux
- un carton de sucre en morceaux
- de la colle universelle
- des crayons-feutres
- des trombones

Quelle surprise lorsque le crocodile ouvre tout grand sa gueule vorace et vous présente une friandise ! Mais cet emballage original peut contenir bien d'autres cadeaux.

1. Reportez les différents éléments du crocodile de la feuille des modèles sur du carton et découpez-les. L'œil doit être jaune et les dents blanches.

2. Collez la partie ventrale sur le dessous de la boîte en veillant à ne pas bloquer le couvercle : la gueule du crocodile doit pouvoir bouger librement.

3. Incisez le dos du crocodile à l'endroit indiqué. Repliez les différentes parties vers l'intérieur en suivant les pointillés. Ensuite, dépliez-les pour continuer le travail.

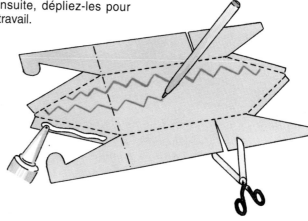

4. Dessinez les écailles sur toutes la longueur du dos avec un crayon-feutre.

5. Dessinez au crayon-feutre noir une pupille au milieu de l'œil jaune et collez les yeux sur les pièces correspondantes. Collez les yeux sur la gueule du crocodile aux endroits indiqués.

6. Collez les dents sur les mâchoires en partant de la pointe.

7. A présent, assemblez et collez les deux moitiés de la queue et de la gueule. Maintenez-les ensemble avec des trombones jusqu'à ce que la colle soit bien sèche.

8. Fixez chacune des pattes avec un point de colle, en faisant bien attention à ne pas bloquer la partie mobile de la gueule.

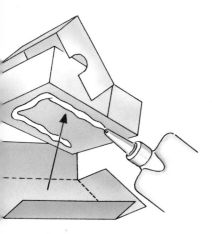

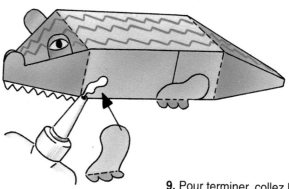

9. Pour terminer, collez le dos du crocodile sur la partie supérieure de la boîte de sucre. Veillez à ce que l'incision corresponde bien à la charnière du couvercle. L'opération terminée, la partie mobile du couvercle doit pouvoir bouger librement.

Joyeux anniversaire !

Pour un enfant, son anniversaire
est le jour le plus amusant de l'année
parce qu'il est le roi de la fête.
Il est donc très importantde jalonner
cette journée de petites surprises
pour l'enfant lui-même
et pour ses invités.
Chacun peut participer activement
aux préparatifs de la fête.
Dans ce chapitre, nous vous suggérons
des idées de bricolages, des décorations
pour la table, des "choses gourmandes"
et des jeux.
N'hésitez pas à les compléter, selon
ce que vous souffle votre imagination.

Pomme
à serviettes

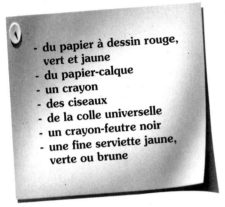

- du papier à dessin rouge, vert et jaune
- du papier-calque
- un crayon
- des ciseaux
- de la colle universelle
- un crayon-feutre noir
- une fine serviette jaune, verte ou brune

Cette belle décoration a deux fonctions: d'une part, c'est un très joli porte-serviettes; d'autre part, elle peut servir de carton de table. Il suffit pour cela d'inscrire sur l'une des pommes le nom de chaque invité.

1. Avec du papier-calque et un crayon, reportez deux fois le modèle de la pomme de la page 221 sur du papier à dessin. Découpez les fruits. Il en faut 2 pour chaque carte.

2. Placez l'une des pommes sur la table devant vous et appliquez une fine ligne de colle sur tout le pourtour. Laissez le haut (autour du pédoncule) libre.

3. Recouvrez la première pomme avec la seconde en les faisant coïncider parfaitement, appuyez légèrement et laissez sécher quelques instants.

4. Vous pouvez inscrire le nom d'un invité sur la pomme avec un crayon-feutre et esquisser en quelques traits le restant de la fleur.

5. Le pédoncule sera constitué par la serviette pliée. Si vos serviettes ont plusieurs épaisseurs, une seule vous suffira. Coupez le carré en deux.

6. Ensuite, rabattez les petits côtés l'un sur l'autre: vous avez reconstitué un carré. Pliez celui-ci en diagonale en rabattant deux coins opposés l'un sur l'autre.

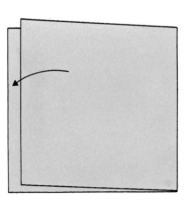

7. Pliez la serviette plusieurs fois po former une bande étroite, en allant d la diagonale jusqu'à la pointe.
Continuez à plier jusqu'au moment o vous aurez atteint le coin.

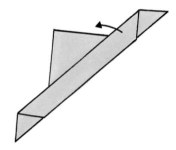

8. Pliez en deux la bande obtenue insérez-la à l'intérieur de la pomm Vous pouvez aussitôt la mettre sur table !

fleur-bonbon en papier crépon

- une bande de papier crépon (7 x 35 cm)
- un bonbon enveloppé de cellophane
- un cure-pipe vert (16 cm de long)
- un reste de papier vert
- des ciseaux
- de la colle universelle Pritt

ici de quoi fleurir toute la table ns grand effort ! Les fleurs-bon-ns peuvent décorer la table du ûter ou être offertes en récompen-au gagnant d'un jeu.

Prenez la bande de papier crépon commencez à froisser l'un des ands côtés.

Après avoir froissé la moitié envi-n de la bande, ajoutez le bonbon ur que la cellophane soit prise ns les fronces du papier crépon.

Froissez ensuite le restant du papier arrangez le papier tout autour du onbon pour qu'il prenne l'aspect une corolle. Les extrémités de la nde de papier crépon se superpo-nt.

4. Prenez la fleur dans la main gauche (la main droite pour les gauchers) et placez un bout du cure-pipe autour de la partie froissée de la fleur.

5. Ensuite, tordez le bout le plus court du cure-pipe autour de l'autre bout en serrant très fort. Votre fleur a désormais une tige.

6. Découpez la feuille dans un reste de papier vert. Si vous voulez, décalquez le modèle ci-contre et découpez-le.

7. Enduisez de colle la tige de la feuille et enroulez-la autour du cure-pipe.

La fleur est terminée. Rangez-la dans un petit vase en attendant d'en avoir besoin.

Patron à décalquer

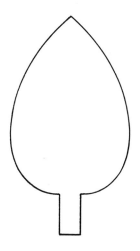

Feuille

143

Souris farcie

- du papier à dessin
- un crayon
- du papier-calque
- des ciseaux
- de la colle universelle
- un reste de laine
- de petites friandises
- des crayons-feutres

ette petite souris peut être farcie
'ec un morceau de fromage — le
'ets préféré des souris — ou de
·tites sucreries. Les enfants seront
·vis d'en découvrir une sur leur
·siette ou à côté de leur serviette
· moment de passer à table !

Décalquez ce modèle tout simple
· cahier de patrons (page 213) et
·portez-le sur du papier à dessin
·ant de le découper.

Enduisez de colle une petite partie
· papier à dessin, à la base de la
·uris, comme indiqué sur l'illustration.

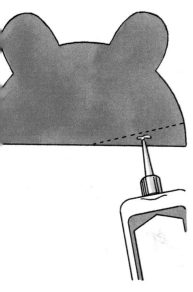

3. Formez un cornet en collant les deux bords.

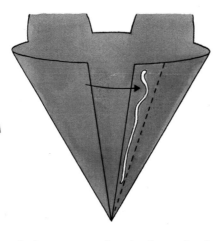

4. Coupez une bande de papier à dessin d'environ 10 cm de long et découpez l'une des extrémités en pointe. Collez la seconde extrémité de la queue ainsi formée à l'intérieur du cornet à l'endroit du raccord.

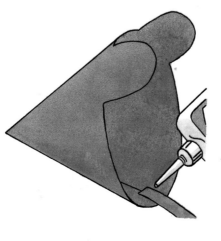

5. Passez la lame des ciseaux sur toute la longueur de la queue pour la friser.

6. Avec des crayons-feutres, dessinez maintenant les détails du museau.

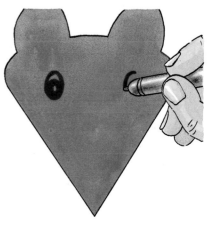

7. Pour la moustache, coupez 4 fils de laine d'environ 3 cm de long et attachez-les au milieu avec un cinquième bout en serrant bien.

8. Collez cette moustache à la pointe du museau.

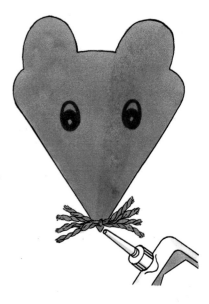

9. Farcissez votre souris de friandises.

Fleur au cœur
en chocolat

- des restes de papier
  à dessin
- un crayon
- du papier-calque
- des ciseaux
- un bâton de colle
- une praline

Au dessert, chacun trouvera sur son assiette une fleur au cœur en chocolat — la table prend alors un aspect joyeux qui attire tous les gourmands.

1. Reportez les 3 différentes pièces de la corolle de la page 215 sur du papier à dessin et découpez-les. Procédez de même pour les 5 sépales, découpés dans du papier à dessin vert.

2. Avant de superposer les corolles, pliez vers le haut les pétales des deux plus petites.

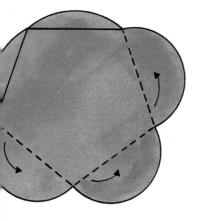

3. Collez les 5 sépales verts au-dessous de la grande corolle.

4. Ensuite, collez la corolle moyenne sur la grande en décalant les pétales et les creux.

5. Collez la petite corolle sur la moyenne en décalant de nouveau les pétales.

6. Pour terminer, placez un chocolat au creux de la petite corolle.

Ménagerie de table

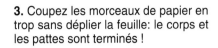

- 2 feuilles de carton fin blanc ou de couleur (format A5)
- un crayon
- du papier-calque
- des ciseaux
- un bâton de colle
- des pastels gras ou des crayons de couleur

ʋici une ménagerie à la portée des us petits bricoleurs. Dessinez les nimaux, sans nécessairement décaler les modèles du livre. Le corps ɛt toujours fait selon le même principe; la tête et la queue varient d'un nimal à l'autre.

Pliez une fine feuille de carton anc en deux: rabattez les petits ɔtés l'un sur l'autre. Ne le faites que ɔur les animaux représentés ici. Si ʋus préférez un animal particulièrement long, comme une chenille ou un ille-pattes, pliez le carton dans le ɛns de la longueur.

Dessinez les pattes et le corps de ʼanimal, librement ou en décalquant ɯn des modèles des pages 216 et ʔ7. Le pli du carton doit correspondre à la colonne vertébrale.

3. Coupez les morceaux de papier en trop sans déplier la feuille: le corps et les pattes sont terminés !

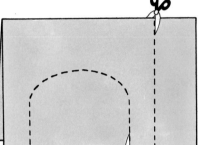

4. Dessinez le cou et la tête sur un morceau de carton blanc ordinaire. Choisissez l'un des modèles proposés aux pages 216 et 217 ou inventez-en d'autres vous-même.

5. Découpez la tête et le cou et collez-les à l'une des extrémités du corps, un peu de biais.

6. Dessinez la queue et découpez-la. Frangez un peu le bout pour faire une touffe de poils.

7. Collez la queue entre les pattes arrière.

8. Coloriez l'animal de couleurs vives avec des pastels gras ou des crayons de couleur.

9. Si vous voulez que vos invités soient assis à table dans un ordre bien précis, laissez en blanc une petite partie de votre animal pour y écrire le nom de chacun.
Les enfants apprécieront certainement l'idée, surtout s'ils peuvent conserver leur animal et le rapporter à la maison !

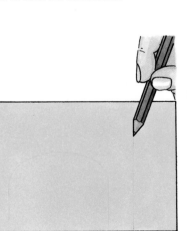

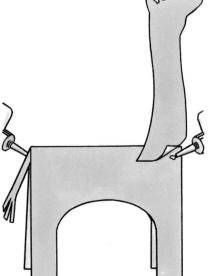

Calmars marrants

Lorsqu'ils envahiront la table et viendront même se percher sur le rebord des verres, ces calmars marrants seront très certainement le clou du goûter d'anniversaire !

1. Avant de commencer à peindre la boule d'ouate, agrandissez un peu le trou. Servez-vous de préférence d'un crayon que vous tournerez dans l'ouverture existante.

2. Recouvrez votre plan de travail de vieux journaux et mettez un tablier.

3. Piquez la boule d'ouate sur un cure-dents et peignez-la en choisissant une couleur assortie à celle du cure-pipe. Lorsque la couleur est sèche, appliquez une couche de vernis.

4. Découpez pour chaque calmar 6 tentacules dans un cure-pipe: 6 tentacules de 13 cm de long pour le grand calmar ou 6 tentacules de 8 cm de long pour le petit. Tordez-les ensemble à l'une des extrémités.

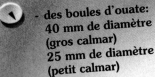

- des boules d'ouate:
  40 mm de diamètre
  (gros calmar)
  25 mm de diamètre
  (petit calmar)
- un crayon
- un cure-dents
- de vieux journaux
- un tablier
- des gouaches
- un pinceau
- du vernis
- un cure-pipe
- des ciseaux
- pour chaque calmar
  6 petites perles de bois:
  10 mm de diamètre
  (grand calmar)
  3 mm de diamètre
  (petit calmar)
- de la colle universelle
- des restes de feutre

5. Collez sur ce faisceau la boule d'ouate peinte et vernie.

6. Collez une perle de bois au bout de chaque tentacule. Les grosses perles sont pour le grand calmar, les petites pour le petit calmar.

7. Pour terminer, découpez les yeux, le nez et la bouche dans un morceau de feutre et collez-les délicatement sur la tête.

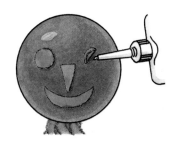

8. Pliez les tentacules et fixez le calmar marrant à la table, sur le rebord d'une assiette ou d'un verre.

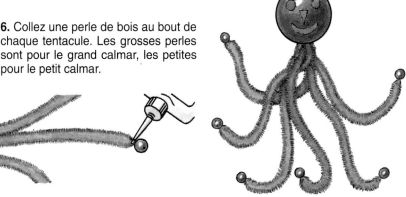

Pour les affamés: papillon à déguster

- un petit pain au lait
- 2 différentes sortes de saucisson
- du fromage de Hollande
- un couteau tranchant
- une planche à découper

Aux anniversaires, on s'empiffre souvent de sucreries. Et si, pour changer, vous mangiez salé ?

1. Comptez pour chaque invité un petit pain au lait, 8 tranches de saucisson (deux variétés) et un morceau de fromage de Hollande.

2. Prenez le couteau pour ouvrir le petit pain de chaque côté dans le sens de la longueur, à une profondeur d'environ 2 cm. Le milieu doit rester entier.

3. Pour chaque papillon, placez 4 petites tranches de saucisson sur 4 grandes en alignant les bords d'un côté.

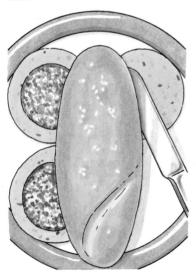

4. Avec la pointe du couteau, poussez délicatement les tranches de saucisson dans les fentes du petit pain, 2 à droite, 2 à gauche. Le papillon a déjà des ailes.

5. Pour les antennes, découpez sur la planche deux barres de fromage (environ 4 x 1 x 1 cm).

6. Sur le dessus du petit pain, forez avec la pointe du couteau 2 petits trous. Piquez les antennes dans ces trous en tenant le petit pain à la verticale. Le papillon a maintenant des antennes tout à fait délicieuses.

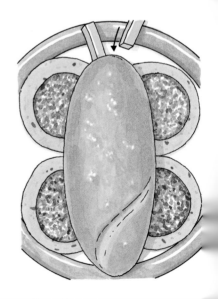

Bougies sucrées

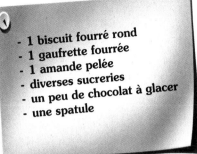
- 1 biscuit fourré rond
- 1 gaufrette fourrée
- 1 amande pelée
- diverses sucreries
- un peu de chocolat à glacer
- une spatule

Un anniversaire sans bougies ? Inimaginable. Mais pourquoi ne pas adopter ces bougies comestibles ?
Dressées sur une serviette, elles seront mignonnes... à croquer !
Vous trouverez des biscuits fourrés dans tous les supermarchés. Pour les gaufrettes, vous devrez peut-être vous adresser à un pâtissier.

1. Vous n'avez peut-être pas utilisé tout le glaçage préparé pour le gâteau; utilisez le reste pour les bougies. Si vous en préparez un nouveau, prenez seulement une partie du paquet. Réchauffez le chocolat au bain-marie.

2. Posez le biscuit fourré sur le plan de travail devant vous. Avec la spatule, appliquez un peu de glaçage au milieu du biscuit. Placez la gaufrette dessus et tenez-la bien jusqu'au moment où le chocolat se fige et la gaufrette tient toute seule.

3. Plongez la pointe d'une amande pelée dans le glaçage et placez-la au sommet de la gaufrette.

4. Décorez les bougies avec toutes sortes de sucreries ou avec des noix ou des noisettes que vous plongerez chaque fois dans le "ciment" en chocolat.

Variante :

Vous pouvez remplacer le chocolat par un glaçage au citron. Mélangez un peu de jus de citron avec 3 cuillerées à soupe de sucre en poudre. Attention: n'ajoutez pas trop de liquide ! Le glaçage doit rester assez épais, sinon l'assemblage ne tiendra pas.
Si vous voulez, saupoudrez la bougie terminée d'un peu de sucre en poudre. Elle prendra alors un aspect hivernal.

Pour les assoiffés : pailles fantaisie

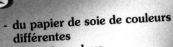

- du papier de soie de couleurs différentes
- du papier-calque
- un crayon
- des ciseaux
- un bâton de colle
- du papier à dessin blanc ou de couleur
- une perforatrice
- un cure-pipe
- des vignettes autocollantes
- des pailles

Avec ces pailles de toutes les couleurs, la table du goûter prend l'aspect d'un pré fleuri envahi de papillons. Et aucun risque de confondre les verres: le nom de chaque invité est inscrit sur le corps de l'insecte.

1. Reportez deux fois les 2 éléments des ailes de la page 219 sur du papier de soie et découpez-les.

2. Pour chaque papillon, collez la partie supérieure de chaque aile à la partie inférieure.

3. Pliez l'une des ailes en accordéon: faites un premier pli d'environ 0,5 cm de large, retournez l'aile, faites un second pli de même largeur, et ainsi de suite. Procédez de même pour l'autre aile.

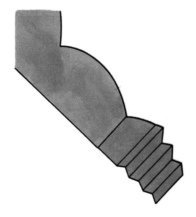

4. Décalquez les 2 éléments du corps et la vignette de la page 219; reportez-les sur du papier à dessin et découpez-les.

5. Percez un trou pour la paille et des antennes dans les deux parties épaisses.

6. Collez ces deux éléments ensemble jusqu'à mi-hauteur. L'avant percé de trous doit rester ouvert.

7. Pliez le cure-pipe pour faire les antennes. Commencez par le plier en deux et passez-le ainsi à travers le trou, en laissant une boucle. Passez les deux extrémités dans cette boucle et repliez-les vers l'extérieur.

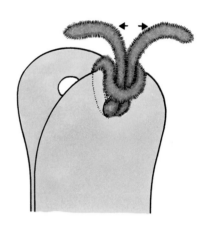

8. Prenez le côté rectiligne de chacune des ailes pliées en accordéon et collez-en une de chaque côté du corps. Laissez assez de place pour le nom.

9. Ecrivez le nom d'un invité sur la vignette et collez-la entre les ailes. Passez la paille à travers le trou de la tête du papillon.
Et voilà le travail ! Le papillon peut maintenant se percher sur un verre ou sur un gobelet.

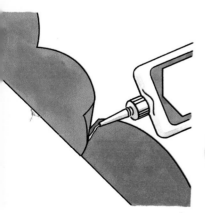

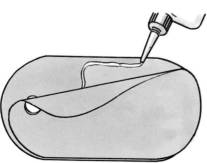

Pour les poissons :
- du papier-calque
- un crayon
- du papier métallisé ou
  du papier cadeau
- des ciseaux
- du carton fin
- un bâton de colle
- un crayon-feutre noir
  indélébile
- une agrafeuse

Pour la canne à pêche :
- de la ficelle fine (30 cm)
- un petit aimant
- un bâtonnet de bois

Pour l'aquarium :
- du carton fort
  (4 fois 20 x 20 cm)
- 2 feuilles de papier
  à dessin bleu clair (format A3)
- des ciseaux
- un bâton de colle
- du papier-calque
- un crayon
- une feuille de papier
  à dessin jaune (format A4)
- du papier métallisé ou
  du papier arc-en-ciel
- un rouleau de papier colla
  invisible et assez large

Partie de pêche

Posez l'aquarium sur la table, assez haut pour que personne ne puisse voir ce qui se trouve à l'intérieur. La canne à pêche passe de main en main et les joueurs tentent leur chance. Lorsque l'aquarium est vide, on compte les points. Vous trouverez l'aimant nécessaire dans une papeterie ou dans la boîte à outils de papa.

Les poissons

1. Décalquez les poissons, le coquillage, l'étoile de mer et la chaussure de la page 224 et reportez-les sur du papier métallisé ou du papier arc-en-ciel.

2. Découpez les différentes pièces et repassez les contours au crayon-feutre noir. Si vous voulez que vos poissons soient particulièrement beaux, collez aussi du papier de couleur sur le verso. Chacun des poissons porte un chiffre entre 10 et 50. L'étoile de mer et le coquillage valent chacun 5 points. Quant à la chaussure, bien entendu, elle rapporte 0 point.

3. Avec une agrafeuse, fixez une agrafe au milieu de chaque pièce du jeu.

L'aquarium

1. Découpez 4 carrés de carton de 20 cm de côté et recouvrez-les de papier à dessin bleu clair.

2. Décalquez le fond de mer, les algues et les poissons de la feuille de patrons. Reportez-les sur le papier de couleur, découpez-les et collez-les sur les cartons.

3. Après avoir collé les différents éléments, épaississez un peu les contours.

4. Placez les 4 cartons devant vous, le recto vers le bas, et assemblez-les avec une bande de papier collant.

5. Retournez la bande de carton, placez chaque fois l'un des carrés sur la table et laissez le carré voisin pendre à angle droit. Sur cette face-ci également, assemblez délicatement les deux carrés. Ne les collez pas à plat: ils ne pourraient plus être pliés.

6. Lorsque vous avez collé 3 arêtes à angle droit, mettez l'aquarium à la verticale et fermez de dernier côté.

7. Ajoutez encore du papier collant pour protéger les arêtes du fond et le rebord.

La canne à pêche:

1. Attachez l'aimant à l'une des extrémités de la ficelle. Nouez l'autre bout à la pointe du bâtonnet. Vous pouvez ajouter un point de colle pour qu'elle tienne mieux.

Maintenant que toutes les pièces du jeu sont prêtes, la partie peut commencer !

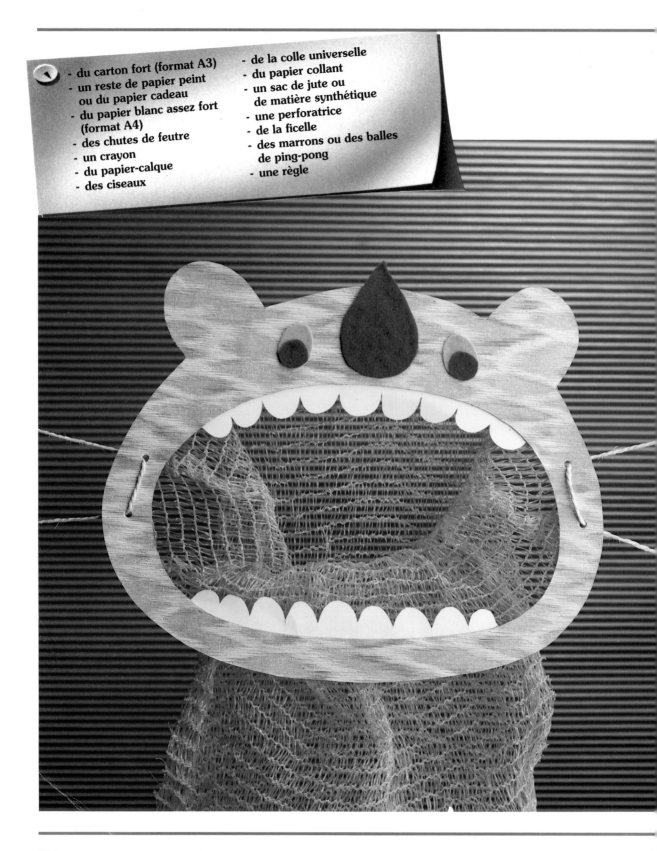

- du carton fort (format A3)
- un reste de papier peint ou du papier cadeau
- du papier blanc assez fort (format A4)
- des chutes de feutre
- un crayon
- du papier-calque
- des ciseaux
- de la colle universelle
- du papier collant
- un sac de jute ou de matière synthétique
- une perforatrice
- de la ficelle
- des marrons ou des balles de ping-pong
- une règle

Rhinocéros vorace

Les jeux d'adresse sont un point favori du programme des anniversaires.
Lorsque le rhinocéros vorace ouvre
tout grand sa gueule, les enfants s'em-
pressent de le nourrir avec des marrons.
Bien entendu, si vous n'avez pas de
marrons, vous pouvez aussi utiliser
des balles de ping-pong. Vous trouverez un sac convenable au supermarché ou chez l'épicier (même s'il
est rempli d'oignons, de pommes de
terre ou de noix).

Commencez par recouvrir une feuille
de carton fort de format A3 avec un
papier peint aux tons discrets ou avec
du papier cadeau (adressez-vous à
un décorateur, il vous donnera peut-
être des chutes de papier peint !)

Reportez le modèle de la tête (feuille
de patrons) sur le carton et découpez-
le. Découpez également la gueule
ouverte avec des ciseaux.

Reportez les deux mâchoires sur du
papier blanc, découpez-les et collez-
les sur l'envers de la gueule. Les languettes à encoller sont délimitées par
des pointillés. Sur la face recouverte de
papier peint du rhinocéros, seules les
dents blanches apparaissent.

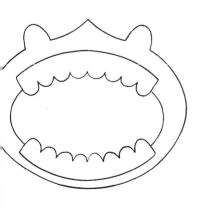

4. Reportez la corne et les yeux avec
leur pupille sur du feutre; découpez-
les et collez-les au bon endroit.

5. Fixation du sac :
commencez sur l'envers, à la partie
supérieure du rhinocéros. Prenez les
deux coutures latérales du sac et
fixez-les de part et d'autre de la tête,
à peu près à mi-hauteur, avec du
papier collant. Ensuite, disposez le
bord supérieur du sac autour de la
mâchoire supérieure en laissant un
ourlet d'environ 2 cm sur le carton.
Fixez cet ourlet en place avec de la
bande adhésive (deux couches si
possible).

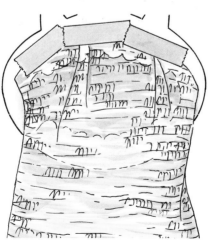

6. Procédez de même pour le bord
inférieur.

7. Pour pouvoir accrocher ce panier,
faites 2 trous de chaque côté avec
une perforatrice. Ils doivent se trouver à mi-hauteur et être espacés
d'environ 5 cm.

8. Passez une ficelle de 110 cm de
long dans le trou supérieur, puis dans
celui du bas. Procédez de même
pour l'autre côté.

9. Pour que le panier se creuse bien
en profondeur, fixez-y une ficelle
d'environ 140 cm de long, à 20 cm
en partant du haut.

10. Suspendez le panier à ces
cordes. Dehors, vous pouvez le fixer
à un arbre ou à une haie; si vous
jouez à l'intérieur, le rebord d'une
chaise fera l'affaire; le sac sera fixé à
une poignée de porte.

A présent, testez votre adresse avec
des marrons ou des balles de ping-
pong. Qui arrivera à nourrir le rhinocéros ?

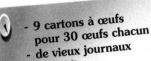

- 9 cartons à œufs
  pour 30 œufs chacun
- de vieux journaux
- un tablier
- des gouaches ou
  des peintures à doigts
- un gros pinceau
- une perforatrice
- du fil de coton
- une règle
- des ciseaux
- des balles de ping-pong

A la maison ou au jardin : jeu d'adresse

Voici un jeu d'adresse qui peut se pratiquer à la maison aussi bien que dehors. Il est fait tout simplement de cartons à œufs qui ne sont pas collés, mais attachés ensemble par des fils de coton.

Ainsi, les cartons encombrants peuvent être démontés à la fin du jeu et rangés l'un sur l'autre.

Les règles sont les suivantes :

Placez le jeu bien à plat. Les joueurs se mettent, selon leur âge, à 2 ou 5 m des cartons et lancent des balles de ping-pong en essayant de viser milieu de la "cible".

La partie noire vaut 20 points, la partie rouge vaut 10 points et la partie verte vaut 5 points.

. Demandez au supermarché ou à l'épicier 9 cartons ayant contenu 30 œufs.

. Recouvrez votre plan de travail de deux journaux. Si vous ne disposez pas d'une grande table, étalez votre travail par terre.

. Disposez les cartons l'un à côté de l'autre, trois par trois, en formant un carré.

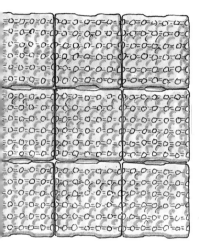

. Peignez la cible en commençant par le carton central. Peignez en noir x 4 parties creuses et bombées au milieu du carton. Le bord extérieur este blanc.

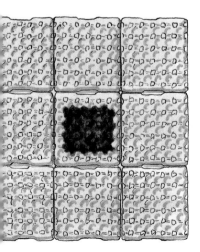

5. Peignez en rouge le bord du carton central et les parties contiguës des autres (2 rangées de creux).

6. Peignez en vert le reste.

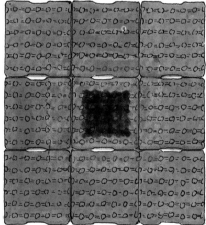

7. Lorsque les couleurs sont bien sèches, perforez tous les cartons en faisant 2 trous d'un côté et trois de l'autre. Procédez de même avec tous ceux qui se touchent.

8. Faites des espaces de 5 cm entre les cartons: vous aurez ainsi toute la place nécessaire pour nouer les fils.

9. Découpez des bouts de fil de coton d'environ 25 cm de long.
Passez le fil dans un trou, de haut en bas, puis de bas en haut dans le trou du carton voisin.

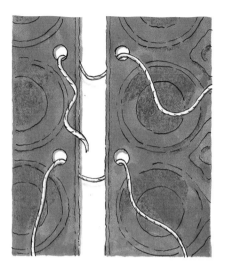

10. Lorsque tous les fils sont en place, rapprochez de nouveau les cartons et nouez ensemble les deux extrémités de chaque fil.
Le jeu est prêt: la partie peut commencer !

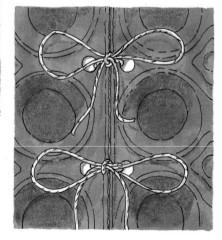

Lorsqu'elle est terminée, il vous suffira d'enlever tous les fils. Rangez-les avec la pile de cartons en attendant la prochaine occasion.

Invitation
au théâtre

Acteurs ou spectateurs, les enfants
adorent le théâtre. Les poupées les plus
simples faites d'un bout de carton
ou d'une serviette deviennent les héros
de récits passionnants.
La réalisation des marionnettes et
des décors est en elle-même une partie
de plaisir. Les enfants peuvent inventer
eux-mêmes un conte qu'ils mettront en
scène pour leurs camarades.
Il ne suffit pas de faire appel
à l'imagination: l'histoire doit encore être
traduite en mouvements et en dialogues.

Les trois coups sont frappés !

163

Ballerines
en serviettes

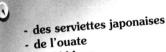

- des serviettes japonaises
- de l'ouate
- du fil blanc
- une aiguille
- des ciseaux
- du fil élastique

Voici une façon très simple et pourtant très spectaculaire de créer des personnages en serviettes pour votre théâtre. Elles ne demandent que peu de frais et de temps. Pour monter un spectacle, il faut deux personnes qui agitent les fils à chacune des extrémités, faisant danser les marionnettes (si possible au son d'un morceau de musique classique).

1. Choisissez des serviettes tr(è) fines, de préférence de deux co(u)leurs différentes. Il en faut trois po(ur) chaque marionnette.

2. Roulez une boule d'ouate de (la) grosseur d'une prune. Placez a(u)-dessus de cette boule une serviet(te) pliée en quatre et tendez bien l(es) coins.

3. Immédiatement sous la bou(le) d'ouate, faites quelques tours de (fil) en terminant par un nœud.

4. Ensuite, dépliez complètement 2 serviettes de la même couleur et placez-les l'une sur l'autre en décalant les coins.

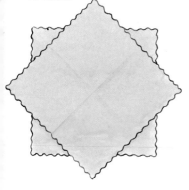

. Placez ces deux serviettes sur la "tête" déjà terminée et rabattez les coins vers le bas en veillant à ce que les pans de serviette soient de longueur égale.

gueur égale.

6. Refaites quelques tours de fil autour du "cou" et nouez les extrémités de tous les fils ensemble.
Fabriquez ainsi 6 marionnettes.

7. Prenez une aiguille et un fil d'environ 30 cm de long que vous passez à travers la "tête". Il faut que le fil passe par les trois serviettes superposées et, si possible, à travers l'ouate. Faites deux ou trois points de couture au même endroit avant de nouer les extrémités. Coupez-en une; laissez un fil plus long à l'autre bout.

8. Mesurez deux fois 180 cm de fil élastique. Accrochez maintenant les marionnettes à ces fils. Suspendez la première marionnette au milieu d'un fil en laissant 6 cm entre la tête et l'élastique. Suspendez deux autres marionnettes à droite et à gauche, en laissant un intervalle de 25 cm. Procédez de même pour accrocher les trois autres ballerines au second fil.

9. Pour que les montreurs de marionnettes aient une meilleure prise, nouez les deux fils élastiques ensemble aux deux extrémités.

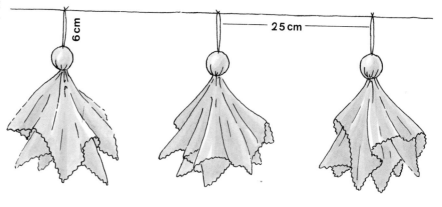

Conseils pour le spectacle

Pour que le spectacle de marionnettes soit réussi, transformez le chambranle d'une porte en théâtre. Les montreurs seront cachés par les murs et les ballerines danseront derrière la porte ouverte. Choisissez un morceau de musique classique, de préférence un air de ballet. Pour la danse proprement dite, laissez libre cours à votre imagination: les ballerines peuvent sautiller, se balancer, s'incliner, s'élancer dans les airs, se pencher en arrière, danser en paires ou à bonne distance les unes des autres, aller les unes vers les autres, etc.

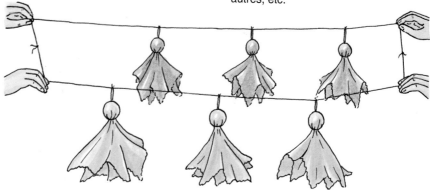

- du papier blanc
- un crayon
- du papier-calque
- des crayons de couleur
- des ciseaux
- de la colle universelle

Poupées de papier

Avec ces poupées de papier, très faciles à faire, vous pourrez monter un spectacle n'importe où. La marionnette monte, pivote et s'incline en suivant les mouvements de votre index.

Une foule de personnages peuvent participer à votre pièce de théâtre: des hommes, des personnages fantastiques, des animaux, des monstres et bien d'autres créatures. Ils peuvent prendre des aspects très différents: les uns ont des jambes, d'autres n'ont qu'une tête et un torse, d'autres uniquement une tête.

Ajoutez un chapeau, des oreilles, une queue ou un nœud papillon pour que vos poupées soient encore plus amusantes. Découpez dans un morceau de papier tous les détails qui vous passent par la tête et collez-les sur la poupée.

Vous trouverez de nombreuses idées aux pages 220 et 221: un clown, un chat, un Indien et un cow-boy.

1. Reportez d'abord le modèle de base sur le papier, découpez-le et pliez-le en deux en suivant les pointillés.

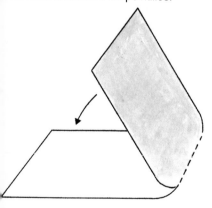

2. Collez les grands côtés ensemble jusqu'à la ligne du pli.

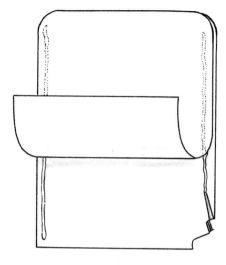

3. La base de la marionnette a maintenant la forme d'un cornet assez grand pour y insérer l'index.

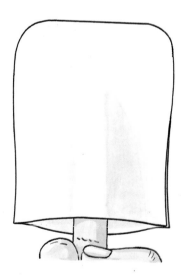

4. Coloriez le cornet avec des crayons de couleur. Vous pouvez décalquer un chapeau, des ciseaux ou une plume des pages 220 et 221, à moins que vous n'ayez déjà d'autres idées de détails à coller sur le personnage.

5. Si le personnage doit tenir en main un objet que vous voulez changer par la suite, ne le fixez pas avec de la colle. Pour de tels détails, par exemple un ballon, prenez un morceau de papier collant transparent et faites-en un rouleau, le côté collant se trouvant à l'extérieur. Placez délicatement ce rouleau sur les mains de votre personnage.

oupées à deux doigts et scénario 'une pièce

ant même que le spectacle ne com-
nce, tout le monde s'amuse déjà
fabriquant les personnages.

s poupées n'ont pas besoin d'un
itable théâtre: elles conviennent à
nporte quel endroit. Les person-
ges pivotent et bougent; ils peu-
t même remuer les mains, qui ne
t rien d'autre que les doigts du
ntreur.

amoneur

Reportez le ramoneur de la feuille
patrons sur du carton à dessin
ir, en deux exemplaires pour le
ps et une seule fois pour la tête.

Découpez avec précaution les
vertures pour les doigts du mon-
ur.

Avant de coller le corps, roulez le
ton plusieurs fois sur la table pour
mer un cône.

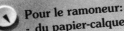

Pour le ramoneur:
- du papier-calque
- un crayon
- du carton à dessin noir
  (format A3)
- des ciseaux
- de la colle universelle
- du carton à dessin
  orange (9 x 18 cm)
- de la laine beige
  pour les cheveux
- 2 pinces à linge
- du papier crépon vert
  (2 x 8 cm)
- du carton à dessin brun
  (format A5)
- des chutes de carton
  à dessin jaune et rouge
- du papier crépon brun
  (2 x 18 cm)
- de la laine brune
  pour le balai
- une aiguille

5. Reproduisez en deux exemplaires
le cercle pour la tête et découpez-le.

6. Sur l'un des cercles, c'est-à-dire à
l'arrière de la tête du ramoneur, collez les cheveux.

7. Collez des cheveux sur la partie
supérieure du second cercle pour former une frange autour du visage.

8. Ecrasez un peu la pointe du cône
pour pouvoir y coller solidement les
deux parties de la tête.

9. Collez d'abord le visage, puis l'arrière de la tête. Les deux parties doivent bien tenir ensemble. Serrez-les
avec deux pinces à linge pour que la
colle prenne bien.

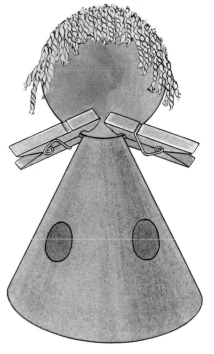

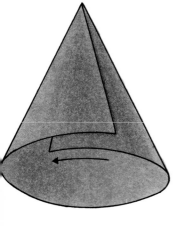

Collez les deux bords du cône
semble et tenez-les bien jusqu'à
que la colle soit sèche.

10. Lorsque la colle est bien sèche, vous pouvez fixer sur la tête le chapeau que vous avez auparavant reporté sur du carton à dessin noir et découpé. Le chapeau est collé sur la pointe des cheveux. Ensuite, collez sur le chapeau une bande de papier crépon vert pour le décorer.

11. Reportez la grande ou la petite échelle de la feuille de patrons sur du carton à dessin brun et découpez-la. Collez-la sur la poitrine du ramoneur ou derrière son épaule. Ajoutez à son habit des boutons de carton à dessin jaune et noir. Le papier crépon brun servira à faire une écharpe, nouée autour du cou et frangée aux extrémités.

12. Reportez le modèle du balai sur du carton à dessin brun et découpez-le. Incisez la bande de carton sur toute sa longueur avec des ciseaux. Ensuite, enduisez de colle le côté

intact et formez un rouleau. Nouez un fil de laine brune au bout du balai et enroulez-le plusieurs fois.

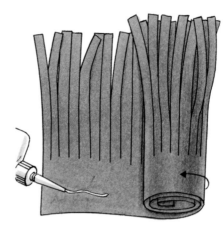

13. Passez un fil de laine au bout d'une aiguille sous l'ouverture de gauche, attachez solidement le balai au corps et dessinez ou collez les détails du visage.

Bonhomme de neige

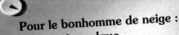

Pour le bonhomme de neige :
- du papier-calque
- un crayon
- du carton à dessin blanc (format A3)
- du carton à dessin noir (10 x 15 cm)
- des ciseaux
- de la colle universelle
- 2 pinces à linge
- du papier crépon vert (2,5 x 8 cm)
- du papier crépon jaune (2 x 18 cm)
- du carton à dessin orange (5 x 8 cm)
- du carton à dessin brun (12 x 8 cm)

Réalisez le corps, le chapeau, l'éch pe jaune et le balai (à manche) bonhomme de neige de la mê manière que ceux du ramoneur. bonhomme de neige n'a pas de c veux; en revanche, son visage s'o d'une superbe carotte en guise nez, et des "morceaux de charbon" servent de boutons.

1. Le plus simple, pour le nez, est décalquer le modèle du nez plat d feuille de patrons; découpez-le et lez-le sur le visage. Le nez conic est encore plus amusant. Reporte patron sur du carton à dessin oran découpez-le et incisez-le en suiv les pointillés.

2. Roulez ce petit cône avec préc tion avant de coller les bords ense ble. Repliez les parties incisée l'intérieur, enduisez-les de colle collez le nez sur le visage du b homme de neige.

Grignotix

Les modèles de base décrits ici p vent servir à la réalisation de no breux autres personnages, par exe ple "Grignotix", le petit mulot de n histoire.
Il est composé d'une tête en de parties, d'un corps, d'une queue laine, d'une moustache noire et d nœud papillon orange. Assemb ces éléments comme pour les de autres personnages.

Si vous voulez baser votre specta sur l'histoire ci-contre, vous au encore besoin de deux personnag une princesse et un petit garçon. Confectionnez-les en vous inspira librement du modèle de base.

Continuez et complétez l'histoire votre manière ! Il ne s'agit pas d'u grande œuvre littéraire mais d'u histoire au ton très "parlé" qui perm de faire participer les spectateurs.

A la recherche de la princesse disparue

Grignotix bâilla longuement. Il était si fatigué ! Il s'étira et bâilla encore. Grignotix, donc — ah, mais vous ne savez pas qui est Grignotix, n'est-ce pas ?

Gri-gno-tix. Il est tout brun, il a une longue queue, une moustache et un nœud papillon vert. Que dites-vous ? Pas de nœud papillon vert ? Vous avez raison, c'est un nœud papillon orange. Mais ce n'est pas de cela que je voulais vous parler.

Je disais donc que Grignotix, le petit mulot, était très fatigué. Il était là à regarder le soleil, mais pas trop longtemps, car les rayons du soleil éblouissent vite. Le soleil brillait au-dessus de la petite rue où se trouvait la petite maison qui abritait le petit trou de Grignotix le petit mulot.

Grignotix était au jardin. Le jardin se trouvait à côté de la maison. Dans la petite ville où se trouvait la petite maison, il y avait beaucoup de rues et d'autos, mais aussi tout plein de fleurs multicolores.

"Je vais cueillir un magnifique bouquet et l'apporter à la princesse", pensa Grignotix. Il savait bien que de nos jours il n'y avait plus de princesses.

La veille, caché sous le fauteuil du salon, il avait écouté la maman lire un conte à haute voix. C'était si beau! Seulement, Grignotix avait complètement oublié le titre de l'histoire. Vous vous rendez compte ? Il n'arrivait plus du tout à le retrouver.

"Voilà une belle fleur rouge. Et là, la jolie fleur jaune. Je les mettrai dans mon bouquet", s'écria Grignotix.

Il avait déjà cueilli beaucoup de fleurs et s'en revenait à la maison. Par le petit chemin, vous savez bien, celui qui mène à la porte d'entrée. "En regardant de là-haut, je verrai s'il n'y a pas quelque part une princesse à qui je pourrais offrir mon

bouquet", se dit Grignotix en grimpant les escaliers du grenier. "Ah, voici un trou par lequel je pourrai passer !" Il se faufila rapidement dans un trou entre deux tuiles, et le voici sur le toit de la maison !

Comme c'était haut ! Quelle drôle d'impression ! Le clocher de l'église, les maisons, les arbres et les tours, tout se voyait comme sur le plat de la main. Mais là, derrière Grignotix, quelque chose bougeait ! Attention, Grignotix !

Grignotix, effrayé, faillit tomber de son toit. C'était le ramoneur, qui venait de sortir son balai de la cheminée. La corde à laquelle était attaché le balai s'était déroulée sur le toit. "Tiens, tiens, qui voilà ! Je n'ai jamais vu de si petit mulot qui se promène sur les toits ! Mais que fais-tu donc ici ?" — "Oh, dit Grignotix, je cherche une princesse à qui offrir mon magnifique bouquet."

Le ramoneur eut beau se creuser la tête, il ne connaissait pas de prin-

cesse dans les environs, et il n'en voyait aucune non plus. Nos deux héros décidèrent alors de redescendre du toit. L'un à côté de l'autre. C'était très amusant de les voir ainsi: un grand ramoneur tout noir et un minuscule petit mulot.

Arrivés dans la maison, ils rencontrèrent le petit garçon qui habitait là. Grignotix le connaissait bien : "Sais-tu où nous pourrions trouver une princesse ?" demanda-t-il.

Ils eurent beau se creuser la tête, personne ne pouvait répondre.

Grignotix en était tout désolé, assis dans la petite chambre, dans la petite maison, dans la petite ville.

"Je crois que je pourrais vous aider", dit soudain une voix dans le silence. Tous se retournèrent, mais il n'y avait personne !

"Mais je suis bien là, reprit la voix, dans le dessin que les enfants ont fait en hiver. Regardez bien !"

Grignotix, le ramoneur et le petit garçon regardèrent, fort étonnés.

Et c'était vrai ! Dans le dessin accroché au mur, il y avait un grand bonhomme de neige tout blanc.

"Bonjour, dit Grignotix. Tu sais où trouver une princesse ?" — "Mais oui ! Il suffit de tourner le coin; derrière les trois grands arbres, il y a un grand château, et dans le château, il y a une princesse belle comme le jour. Viens me retrouver dans l'image, et je te conduirai. Je suis sûr que la princesse sera très contente d'avoir de la visite." — "Oui, oui, tu dois absolument y aller", dirent en chœur le petit garçon et le ramoneur. "Nous t'attendrons ici." — "Bon", dit Grignotix; et tout à coup, il y eut dans l'image, à côté du grand bonhomme de neige tout blanc, un petit mulot tout brun.

Comment pensez-vous que l'histoire va se terminer ?

Décor de théâtre

- du papier blanc
- un crayon
- du papier-calque
- des ciseaux
- du carton (au moins
  2 feuilles de format A3)
- de la colle universelle
- une règle
- de vieux journaux
- des gouaches ou
  des crayons-feutres
- un pinceau
- du papier collant
- un couteau pointu

Tous les enfants prennent plaisir aux spectacles de marionnettes. Voici un moyen tout simple de réaliser vous-même un décor et des personnages. Dans le fond de votre scène, vous pouvez dessiner beaucoup de choses : la forêt toute sombre où vit le brigand, un château pour le roi ou la maisonnette de Mère-Grand.

1. Commencez par décalquer les 5 personnages des pages 218 et 219; reportez-les sur du papier blanc et coloriez-les avec des gouaches ou des crayons-feutres.

2. Collez du carton sur l'envers des poupées pour les renforcer et découpez vos personnages.

3. Pour que vous puissiez tenir les poupées et les animer, collez une languette à leur base. Découpez 5 bandes de carton (30 x 3 cm). Si le carton est fin, prévoyez 2 ou 3 bandes que vous collerez l'une sur l'autre pour que la languette soit assez résistante.

4. Collez une languette sur l'envers de chaque personnage en laissant dépasser 25 cm à la base.

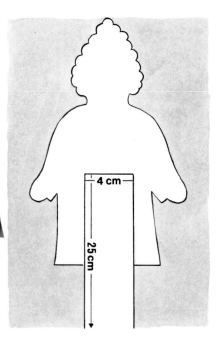

5. Recouvrez la table de vieux journaux et peignez l'arrière-plan du théâtre avec des gouaches sur une feuille de papier blanc de format A3, en travaillant dans le sens horizontal. Lorsque la peinture est sèche, collez la feuille sur une feuille de carton de même format pour que le décor soit assez solide.

6. A présent, mesurez 4 cm à partir du bas et 4 cm à partir de chaque côté et dessinez une ligne de 32 cm de long.

7. Collez au-dessus de cette ligne une bande de papier collant pour renforcer le carton et découpez avec précaution une fente en suivant la règle de la pointe d'un couteau. Ensuite, collez du papier collant derrière la fente.

8. Agrandissez la fente avec des ciseaux pour qu'elle ait environ 3 mm de large. Ainsi, vous n'aurez pas de difficulté à y insérer les personnages.

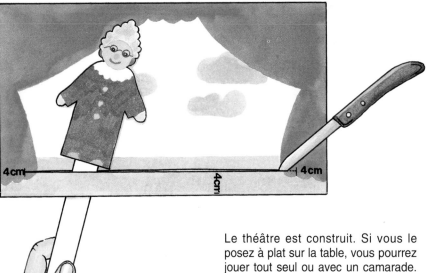

Le théâtre est construit. Si vous le posez à plat sur la table, vous pourrez jouer tout seul ou avec un camarade. Si vous l'accrochez à un mur, les montreurs de marionnettes pourront se placer en dessous et jouer une pièce de théâtre devant un vrai public !

ɔrand guignol

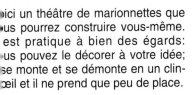

- 1 carton à chaussures blanc avec son couvercle
- des ciseaux
- une équerre
- des couleurs opaques ou des crayons de couleur
- du papier carbone
- un crayon
- du carton léger blanc (format A4)
- des restes de galon et de tissu
- des brochettes
- un petit verre
- de la colle pour bricolage
- du sparadrap

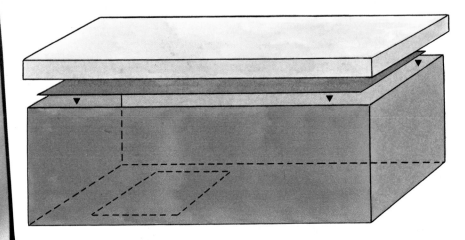

ɔici un théâtre de marionnettes que ʋus pourrez construire vous-même. est pratique à bien des égards: ʋus pouvez le décorer à votre idée; se monte et se démonte en un clin-œil et il ne prend que peu de place.

Découpez une scène dans une ʋitié du fond du carton (environ 10 13 cm) et décorez l'extérieur de ʋtre théâtre comme vous l'enten-ʋz.

Lorsque les couleurs sont bien ʋches, collez un reste de galon ou ʋ tissu sur les bords de la scène ʋur former une sorte de rideau.

Découpez un rectangle de carton ʋger un peu plus petit que le fond du ʋrton à chaussures. Cette plaque ʋra placée dans le carton à la fin de ʋ représentation pour recouvrir la ʋène.

4. Reportez les modèles des marionnettes des pages 212 et 213 sur du carton pour photos blanc, découpez-les et coloriez-les. Vous pouvez aussi créer vous-même vos propres personnages.

5. Fixez les brochettes sur l'envers des personnages avec un point de colle et une bande de sparadrap. Elles serviront à animer les marionnettes.

6. Placez toutes les marionnettes dont vous n'avez pas besoin au moment même dans un petit verre. A la fin du jeu, placez la plaque de carton au fond de la boîte avant d'y ranger le verre contenant les personnages. Pour terminer, fermez le couvercle.

Votre théâtre de marionnettes ne prend guère de place sur l'étagère et ne risque pas de s'abîmer entre deux représentations.

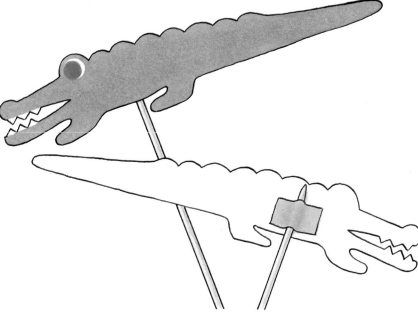

Ombres chinoise

- du papier-calque
- un crayon
- une règle
- du carton fort
- du papier à dessin
- des ciseaux
- du papier cristal
- de la colle universelle
- du carton pour photos noir
- des brochettes
- du papier collant
- une lampe de bureau ou une torche électrique
- de la pâte à modeler

Lorsqu'il fait gris et pluvieux, quoi d
mieux pour se distraire qu'une peti
pièce de théâtre ?

Nous vous proposons des patror
pour quelques personnages : Hänse
Gretel, une sorcière, un roi, une pri
cesse et un prince, une grenouille
un crocodile. Pour les décors, vou
pouvez décalquer le château fort,
maisonnette et le sapin.

1. Reportez le cadre pour le jeu d'ombres de la feuille des modèles, deux fois sur le carton fort et une seule fois sur le papier à dessin. Ensuite, découpez les différents éléments.

2. Le papier cristal servira de toile de projection. Prévoyez un morceau de 30 x 35 cm et collez-le entre les deux cadres en carton fort. Collez le papier à dessin sur l'endroit du cadre.

3. Découpez deux bandes de carton fort de 3,5 x 36 cm, pliez-les et collez-les sur l'envers du cadre pour le soutenir.

4. Décalquez les 12 personnages de la feuille de patrons, reportez-les sur du carton pour photos noir et découpez-les. Le château fort et les arbres peuvent être découpés dans du papier à dessin de couleur.

5. Prenez une brochette et fixez-la sur l'envers d'une marionnette avec du papier collant. Pour certains personnages, une demi-brochette suffit.

6. Placez une torche électrique ou une lampe de bureau à bonne distance de la toile de projection pour assurer l'éclairage.

Piquez les décors et les personnages que vous n'utilisez pas au moment même dans une boule de pâte à modeler. Ainsi, vous garderez les deux mains libres pour animer vos marionnettes. Vous n'aurez aucun mal à inventer les histoires les plus passionnantes que vous mettrez en scène en faisant bouger vos personnages derrière la "toile" de votre théâtre d'ombres.

Marionnettes en bouchons

- 2 bouchons
- une planche à découper
- un petit couteau de cuisine bien tranchant
- un reste de feutre (4 x 10 cm)
- des ciseaux dentés
- de la colle universelle
- une aiguille
- un fil de lin
- 17, 21 ou 27 perles de bois
- des chutes de fourrure
- des ciseaux

Cette marionnette vous consolera de tout chagrin, grand ou petit, et répandra la bonne humeur à la ronde. En effet, ses sautillements sont si drôles à regarder que personne ne pourra s'empêcher de rire. La disposition des fils est toute simple : même les tout-petits pourront maîtriser la manipulation de cette marionnette et explorer ses possibilités d'expression.

1. Les deux bouchons doivent être neufs ou pratiquement intacts. Place. l'un d'eux sur la planche à repasser e découpez 4 tranches d'environ 0,5 cr d'épaisseur avec un couteau. Elle serviront à faire les sabots. Le mo ceau restant formera la tête.

2. Avec le second bouchon, confec tionnez le corps de l'animal. Reco. vrez-le d'abord avec un morceau d feutre. Découpez les bords d'un pe morceau de feutre avec les ciseau dentés.

. Ensuite, enduisez de colle la moi-
é du bouchon et placez le morceau
e feutre par-dessus. La couverture
st maintenant solidement attachée
u corps de l'animal. Les bords pen-
ent librement sur les côtés.

. Confectionnez les pattes et fixez-
·s sous le corps de l'animal.
renez une aiguille avec un fil de lin
t enfoncez-la dans l'extrémité du
ouchon, un peu de biais, là où il n'y
 pas de couverture, c'est-à-dire sur
· ventre de l'animal.
essortez l'aiguille et le fil, en lais-
ant un petit bout de l'autre côté.

5. Enfilez les perles — 3 grosses, 4
moyennes ou 5 petites — puis passez le fil dans l'une des 4 plaquettes
de bouchon. Tirez le fil.
Ensuite, piquez de nouveau l'aiguille
dans le sabot, mais pas exactement
au même endroit.

6. Passez de nouveau le fil et l'aiguille dans le trou de toutes les perles. Après la dernière, tendez délicatement le fil et nouez le bout au fil qui
sort du corps. La patte tient déjà en
place. Disposez deux pattes à l'avant
et deux pattes à l'arrière en procédant de la même façon.

7. A présent, il reste à mettre en place le cou et la tête de l'animal.
Prenez de nouveau une aiguille et du
fil et faites un nœud à l'extrémité de
celui-ci. Ensuite, soulevez un peu le
feutre et poussez l'aiguille dans le
bouchon en la faisant ressortir au-
dessus du feutre, exactement à la
verticale des pattes de devant.

8. Enfilez trois perles avant de piquer
l'aiguille dans le morceau de bouchon qui fera la tête. Piquez l'aiguille
dans la paroi latérale du bouchon et
non au milieu du cercle. Rapprochez
la tête du cou, nouez le fil et coupez
le bout qui dépasse.

9. La queue de l'animal doit se trouver à l'opposé de la tête.
Prenez cette fois-ci un fil d'environ 25
à 30 cm de long. Faites un nœud à
une extrémité et passez-la dans
l'extrémité postérieure du corps.
Enfilez deux perles en passant le fil
deux fois par le trou de la seconde.
Ainsi, elle ne pourra pas glisser.
Ensuite, passez l'aiguille et le fil à
travers le bouchon qui représente la
tête, et terminez par un nœud. Le fil
qui relie la queue à la tête doit avoir
environ 20 cm de long. Il servira à
animer la marionnette.

10. Pour terminer, prenez un reste de
fourrure et découpez-le avec des
ciseaux pour pouvoir le coller tout
autour de la tête.
Si vous voulez, vous pouvez aussi
dessiner un visage.

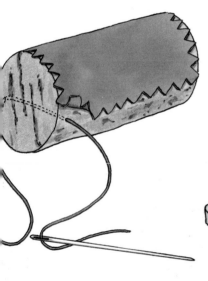

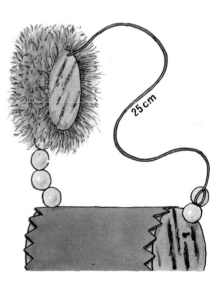

Quand les soirées s'allongent

Les longues soirées d'hiver
sont propices aux bricolages.
A réaliser une lanterne,
une lampe de table,
un jeu ou un calendrier de l'Avent,
on ne verra pas le temps passer !

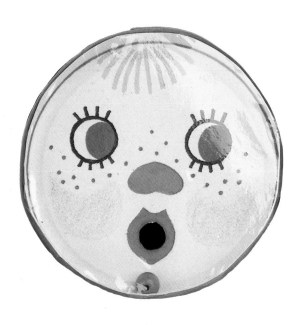

Jeu de dés

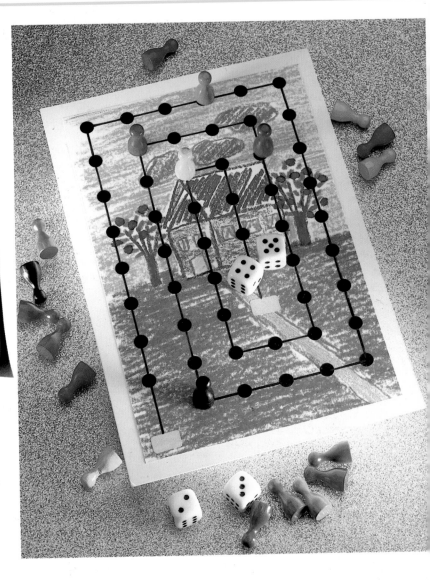

Lorsque des amis ou des amies viennent vous voir à la maison, amusez-vous à bricoler un jeu de dés et à jouer aussitôt une partie.

1. Découpez une photo de 22 x 15 cm dans une revue ou faites vous-même un dessin avec des pastels gras.

2. Découpez un morceau de carton de 24 x 17 cm sur lequel vous collerez l'image. Il reste un bord de carton sur tout le pourtour de celle-ci.

3. Reportez le modèle de la planche de la page 222 sur votre image et repassez les lignes qui relient les points au crayon-feutre. Collez les pastilles autocollantes.

4. Collez un rectangle à l'endroit du départ et de l'arrivée. Vous pouvez aussi y coller des pastilles de couleur. Si par hasard vous ne trouviez pas de pastilles autocollantes, vous pouvez en fabriquer vous-même avec une perforatrice.

Règles du jeu :

Tous les pions s'alignent sur la case départ. Tour à tour, les joueurs lancent le dé et avancent d'autant de cases qu'ils ont obtenu de points.
Le premier arrivé à la dernière case a gagné. Bien entendu, vous pouvez modifier ces règles ou en créer d'autres.

Bonhomme carton

- une boîte de fromage ronde
  (11 cm de diamètre)
  avec son couvercle
- de la colle universelle
- des crayons-feutres
  à pointe épaisse
- des ciseaux pointus
  (ciseaux à ongles)
- une perle de bois de
  couleur (1 cm de diamètre)
- un reste de cellophane
  (environ 14 x 14 cm)
- une bande de papier
  à dessin de couleur

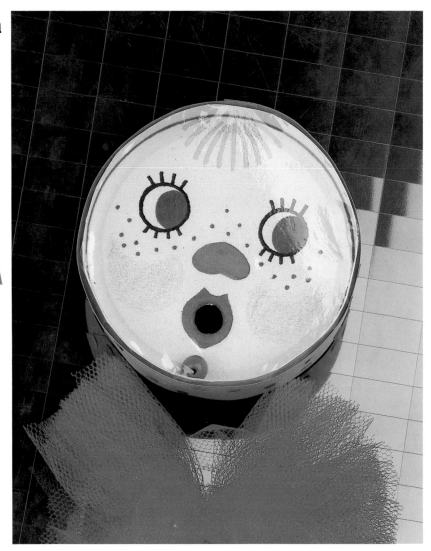

Le mets favori de ce bonhomme carton ? Des perles de bois.
Mais ce n'est pas si simple de les lui faire avaler !

1. Commencez par superposer la boîte et son couvercle, les côtés ouverts se trouvant chaque fois à l'extérieur; collez-les et attendez jusqu'au moment où les deux pièces tiennent bien ensemble.

2. Dessinez de chaque côté un visage avec une bouche "ouverte" d'environ 2 cm de diamètre.

3. Avec de petits ciseaux pointus, découpez dans cette bouche une ouverture permettant à la perle de passer facilement au travers.
Attention: laissez un peu de rouge tout autour.

4. Recouvrez l'un des côtés du jeu d'une feuille de cellophane parfaitement tendue que vous collerez sur tout le pourtour de la boîte.

5. Avant de procéder de la même façon sur l'autre face du jeu, n'oubliez surtout pas de placer la perle de bois à l'intérieur pour l'"enfermer" dans la boîte.

6. Pour que les bords de la boîte soient bien nets, découpez une bande de papier à dessin de 38 x 3,5 cm pour en recouvrir tout le pourtour.

Vous pouvez également décorer cette bande de papier à dessin de petites chutes de papier multicolores.

Noix sur noix : calendrier de l'Avent

Voici un calendrier de l'Avent tout à fait inhabituel qui demande beaucoup de temps et de persévérance.

Mais lorsqu'il est terminé, quelle belle décoration à mettre à la fenêtre, à installer dans votre chambre ou à accrocher au mur ! Au propriétaire de ce calendrier de décider s'il le garde jusqu'à Noël ou s'il préfère grignoter chaque jour l'une des noix.

1. Commencez par nouer un fil de laine rouge à une branche sèche et accrochez-là à la hauteur des épaules à un endroit où elle peut pendre librement (par exemple à une lampe ou à la poignée d'une porte).

2. Attachez solidement à la branche 7 fils de laine de 80 cm.

3. Accrochez les différentes noix aux fils, en laissant entre elles des intervalles irréguliers. Elles peuvent être accrochées une par une ou trois par trois, comme dans le cas des cacahuètes.

Patience ! Si la noix ne veut pas tenir en place, fixez-la avec un point de colle. En tout, comptez 23 noix ou grappes de noix.

4. Réservez une jolie petite surprise pour le jour de Noël en accrochant entre les dernières noix un petit cadeau emballé dans une serviette rouge.

5. Si les bouts de laine en dessous des dernières noix sont encore assez longs, faites-y de petits nœuds.

6. Les bricoleurs particulièrement enthousiastes peuvent faire un calendrier de l'Avent en forme de mobile, avec deux ou trois branches au lieu d'une seule.

Le calendrier sera encore plus joli si vous intercalez de petites étoiles de paille ou d'autres décorations de ce genre entre les noix.

- différentes noix et noisettes
- de la laine rouge
- une branche sèche
- de la colle pour bricolage
- des ciseaux
- un peu de ruban pour cadeaux

Animaux en glands et en marrons

- des marrons d'Inde
  et des glands
- des cure-dents ou
  des brochettes en bois
- des ciseaux ou
  un petit couteau

Ces animaux amusants sont très faciles à fabriquer. Rassemblez les matériaux nécessaires, des marrons d'Inde et des glands, pendant une promenade en forêt. Vous pouvez les utiliser pour créer bien d'autres animaux que les hérissons et les chevaux illustrés ci-dessus.

1. Pour chaque hérisson, il faut un marron d'Inde. Percez la peau brune à plusieurs reprises avec la pointe d'un cure-dent.

2. Prenez ensuite autant de cure-dents qu'il y a de trous et cassez-les à 2 à 3 cm au-dessous de la pointe.

3. Enfoncez chacun de ces morceaux dans l'un des trous, la pointe vers le haut; le hérisson est maintenant garni de tous ses piquants.

4. Pour les yeux et le nez, percez 3 trous et enfoncez un petit morceau de cure-dent sans pointe pour la truffe.

5. Procédez de la même manière pour les chevaux. Pour chaque cheval, il faut 2 glands, 2 petites cornes, 1 cou un peu plus long et 4 pattes de longueur égale.

Lampe de table

- une petite boîte
  de fromage ronde
  (11 cm de diamètre)
- du papier à dessin
  (38 x 17 cm)
- des ciseaux
- un crayon
- des pastels gras
- de la colle universelle
- de vieux journaux
- une tasse
- de l'huile pour salades
- un pinceau

orsque les journées raccourcissent
t que les soirées s'allongent, nous
imons séjourner dans des pièces où
 fait bon. Les lampes de toutes sor-
es contribuent à créer une atmo-
phère agréable.
n voici un exemple à la portée de
ous les enfants.

. Choisissez un papier à dessin de
ouleur claire (jaune, orange ou
ouge clair) et mesurez à la règle un
ectangle de 38 x 17 cm que vous
écouperez ensuite.

. Coloriez le rectangle avec des
astels gras en appuyant bien fort.
es motifs de feuilles mortes ou de
uits d'automne conviennent particu-
èrement bien.

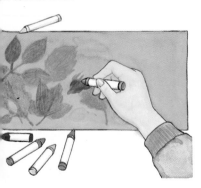

3. Enduisez de colle tout le pourtour du fond de la boîte en carton et collez-y le bord inférieur de votre dessin.

4. Découpez le dessus du couvercle de la boîte pour ne laisser qu'un anneau de carton. Collez celui-ci sur le rebord supérieur de votre lampe.

5. Refermez la lampe en réunissant les deux bords du dessin avec de la colle.

6. Pour l'opération suivante, recouvrez votre plan de travail d'une bonne couche de vieux journaux. Versez un fond d'huile dans une tasse. Appliquez l'huile avec un pinceau, en commençant par le bord supérieur. Il ne faut pas beaucoup d'huile: le papier à dessin l'absorbe facilement et elle se diffuse elle-même vers le bas.

7. Lorsque l'huile est bien sèche, placez un chauffe-plat à l'intérieur de la lampe. Allumez-la toujours en présence d'un adulte !

- une boîte à fromage
  (16 cm de diamètre)
- du papier cristal
  (52 x 21 cm)
- du papier transparent
  jaune, rouge et orange
- un crayon
- des ciseaux
- de la colle pour bricolage
- un chauffe-plat
- un peu de pâte à modeler
- une aiguille à repriser
- du fil de fer (30 cm)

Lanterne à étoiles

Au rythme d'une joyeuse chanson, votre lanterne brillera de mille feux, rivalisant de clarté avec les étoiles du firmament.

Pliées selon une technique bien précise, les étoiles jaunes, orange et rouges diffusent la lumière de la bougie avec une intensité variable.

Qui pourrait résister à l'envie de se joindre au cortège de lanternes pour les faire resplendir ?

1. Reportez environ 20 triangles isocèles de dimensions différentes (6, 8, 10, 12 et 14 cm de côté) de la feuille de modèles sur le papier transparent.

2. Découpez-les avec un maximum de précision.

3. Rabattez deux des coins l'un sur l'autre en marquant très légèrement le pli. Vous obtiendrez ainsi un repère pour la médiane.

4. Rabattez le troisième coin sur le repère dessiné sur le côté opposé et retournez-le aux deux tiers en le repliant dans l'autre sens. Procédez de même pour les trois autres coins.

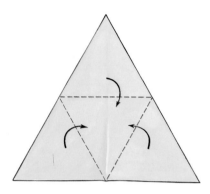

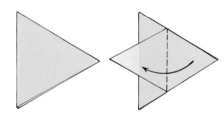

5. Pour renforcer l'étoile, glissez la moitié du bord inférieur du dernier coin replié sous le bord du premier coin. Le tour est joué !

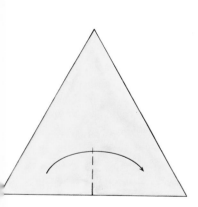

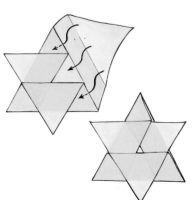

6. Confectionnez les autres étoiles selon le même principe et collez-les sur le papier cristal. N'enduisez de colle que le dessous de l'étoile pour que les coins repliés se redressent un peu.

7. Collez le haut et le bas du papier cristal à l'intérieur des deux moitiés de la boîte à fromage.

8. Fermez la lanterne en réunissant les deux bords du papier cristal avec de la colle.

9. Collez le chauffe-plat au milieu du fond de la lanterne avec un morceau de pâte à modeler.

10. Avec l'aiguille à repriser, percez un trou dans le rebord supérieur de la lanterne, puis faites un second trou au côté opposé. Fixez à ces trous les deux extrémités d'un bout de fil de fer recourbé.

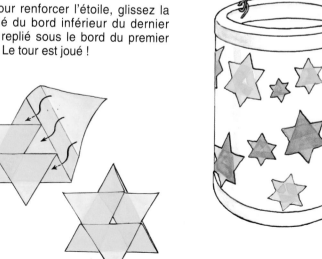

Lanterne-hibou

- du papier transparent
  jaune (30 x 60 cm)
- du papier-calque
- un crayon
- des ciseaux
- du carton fin
- un bâton de colle
- des restes de papier
  transparent rouge, brun,
  jaune et orange
- 4 petits bols
- une pièce de monnaie
- un stylo à bille
- 1 bande de papier à dessin
  orange (12 x 49 cm)
- une règle
- un rouleau d'autocollant
  double-face
- un chauffe-plat
- un fil de fer
- un manche

A l'occasion de ce travail de bricolage, pensez aux nombreuses histoires dans lesquelles les hiboux et les chouettes jouent un rôle positif.
Capable de voir dans la nuit, cet oiseau n'en est que plus mystérieux. Fabriquez-vous un hibou que vous emporterez sans crainte dans la nuit la plus noire !

1. Commencez par reproduire en deux exemplaires le corps du hibou de la feuille de patrons sur du papier transparent jaune et découpez les deux parties.

2. Vous trouverez également dans la feuille de patrons la bande qui suit les contours de la partie supérieure du hibou. Découpez-la en deux exemplaires dans du carton fin.

3. Après avoir découpé les deux bandes, enduisez-les de colle et placez le papier transparent jaune exactement au-dessus. Ces bandes de carton consolideront le corps du hibou.

4. Prenez les restes de papier transparent et déchirez de petits morceaux terminés en pointe. Placez ces morceaux dans les bols en séparant les couleurs.

5. Placez l'un des éléments en papier transparent jaune sur la table devant vous, l'armature en carton fin tournée vers le bas.
Enduisez d'une fine couche de colle le bord inférieur du papier sur une largeur correspondant à celle de 3 doigts.

Puisez dans les bols de petits morceaux de papier transparent et placez-les sur la couche de colle de façon à ne coller que le côté le plus large. La pointe doit rester décollée.

6. Appliquez une nouvelle couche de colle pour la rangée suivante de bouts de papier que vous collerez au-dessus de la première, en laissant les pointes décollées. Recouvrez de cette manière tout le corps du hibou. En laissant les pointes décollées, vous créez l'impression qu'il a des plumes ébouriffées. Vous pouvez jouer sur les nuances en superposant les fragments rouges, jaunes, orange et bruns.

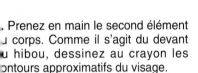

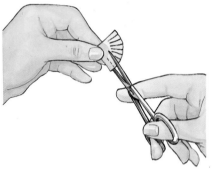

. Prenez en main le second élément
u corps. Comme il s'agit du devant
u hibou, dessinez au crayon les
ontours approximatifs du visage.

. Recouvrez le corps de bouts de
apier transparent comme indiqué
lus haut. Commencez tout en bas et
rrêtez-vous à la ligne du visage.

. Pour les yeux, prenez une grande
ièce de monnaie, placez-la sur du
apier transparent de couleur brune
t tracez un cercle au stylo à bille.
Répétez l'opération quatre fois et
écoupez les cercles.

0. Placez deux cercles l'un sur l'au-
e avant de les plier en deux, puis en
uatre.

1. Maintenez fermement la partie
entrale et découpez de fines fran-
es avec des ciseaux en partant du
ord arrondi.
es franges doivent s'arrêter à mi-
ongueur.

2. Lorsque vous avez découpé des
ranges sur tout le pourtour du quar-
er, retournez-le sans l'ouvrir de
nanière à libérer la pointe.
vec des ciseaux, coupez la pointe
n laissant un espace intact entre
ette ouverture et les franges.

13. Ensuite, dépliez le cercle avec
précaution. Il est maintenant percé
d'un trou : la pupille de l'œil. Séparez
les deux cercles, collez un morceau
de papier transparent orange sur la
pupille du premier élément et collez
le second par dessus. Un premier œil
est terminé ! Réalisez l'autre œil de
la même manière.

14. Lorsque les deux yeux sont prêts,
placez-les sur la partie du hibou destinée au visage; arrangez-les bien et
collez-les.
Attention : ne mettez pas de colle sur
les franges qui entourent les yeux.

15. Il ne manque plus que le bec.
Pour cela, il vous faut un carré d'environ 3 cm de côté. Pliez-le en deux
en rabattant deux coins opposés l'un
sur l'autre.

16. Rabattez la pointe inférieure sur
le côté, jusqu'à environ mi-hauteur, et
lissez bien le pli. Ensuite, dépliez de
nouveau le carré.

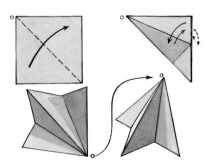

17. Le pli central constitue l'arête du
nez. Enduisez de colle les deux triangles latéraux et collez-les au milieu
du visage du hibou. Les deux faces
de l'oiseau sont prêtes.

18. A présent, construisez la partie
centrale de la lanterne. Prenez la
bande de papier à dessin orange,
mesurez 17 cm à partir de chacune
des extrémités et faites des repères.
La partie centrale a 15 cm de long.
Repliez les deux parties latérales
vers le haut en suivant les marques.
La bande de 15 cm constitue le fond
de la lanterne et les deux bandes de
17 cm forment les côtés.

19. Pour faciliter l'assemblage du
hibou, repliez vers l'intérieur une languette d'environ 1 cm de large sur
les deux longs côtés.

20. Avec des ciseaux, découpez de
petits triangles en partant du bord
jusqu'au pli sur les deux longs côtés.

21. Commencez à assembler la lanterne. Placez le devant du hibou sur
la table devant vous, le côté plumeux
tourné vers le bas. Enduisez de colle
les languettes dentées et la partie
centrale de l'une des bandes latérales de papier orange.
Ensuite, pressez cette bande contre
le bord denté du hibou. Toutes les
dents doivent être solidement collées, l'une après l'autre, à la bande
de papier.

22. A présent, placez la face arrière
du hibou sur la table devant vous et
collez de la même façon les bords
dentés à la bande de papier. Placez
un chauffe-plat au fond de la lanterne.

Enfoncez le fil de fer au sommet de
la tête du hibou et recourbez son
extrémité vers le haut.

Boîte de jeux de société

Quand les journées raccourcissent, vous devez rentrer plus tôt et vous ne tardez pas à vous ennuyer entre quatre murs.

Voici le bon remède : 9 jeux dans une seule boîte, que vous pourrez emporter partout avec vous.

Grande boîte

1. Reportez les contours de l'enveloppe et de l'intérieur de la boîte sur du carton pour photos et découpez-les.

2. Pliez l'enveloppe vers l'intérieur en suivant les pointillés et collez les longs côtés ensemble.

- du papier-calque
- un crayon
- une règle
- des ciseaux
- de la colle universelle
- du carton pour photos
- 9 boîtes d'allumettes
- 2 feuilles de papier autocollant de format identique
- 11 petites billes d'argile
- des crayons-feutres
- 16 bâtonnets de bois teint
- 5 perles de bois
- 3 anneaux creux
- 2,20 m de cordelette fine
- 6 oeillets de protection autocollants
- du carton fort
- 3 dés miniatures
- 16 allumettes

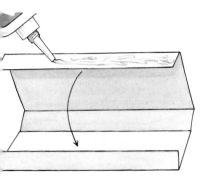

3. Pliez les côtés de l'intérieur de la boîte en suivant les pointillés, incisez les coins et assemblez les parois avec de la colle.

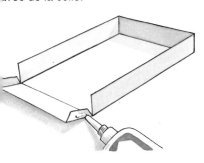

4. Collez sur la face supérieure et sur les deux parois latérales de l'enveloppe l'une des deux feuilles autocollantes aux motifs identiques.

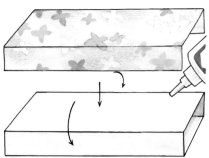

5. Placez sur la seconde feuille autocollante les boîtes d'allumettes en les disposant trois par trois. Dessinez les contours des boîtes et découpez-les.

6. Collez chaque rectangle sur la face supérieure de l'une des boîtes d'allumettes.

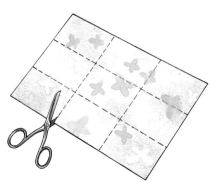

7. Voici pour commencer un premier jeu : un puzzle de neuf pièces !

Maintenant, il s'agit de remplir les boîtes !

Boîte n°1

Eléments du jeu: 11 billes d'argile, 5 d'une couleur donnée, 5 d'une autre couleur et la onzième d'une troisième couleur.

Boîte n°2

Découpez un morceau de carton pour photos du même format que le fond de la boîte et tracez-y à la règle trois lignes à intervalles réguliers. En commençant par le haut, écrivez un "10" dans le premier blanc, un "8" dans le suivant et un "5" dans l'avant-dernier. Attachez une perle de bois à un bout de cordelette d'environ 10 cm de long et collez celui-ci sur le verso du carton.

Boîte n°3

Eléments du jeu: 3 anneaux creux, 1 bâtonnet de bois peint.

Percez dans le fond de la boîte un trou aux dimensions du bâtonnet et collez un œillet de protection sur les bords pour les renforcer.

Boîte n°5:

Eléments du jeu: 9 bâtonnets de bois de 3 couleurs différentes (3 de chaque couleur).

Boîte n°6:

Percez un trou dans chacun des petits côtés de la boîte et renforcez-les avec des oeillets autocollants sur les deux faces. Passez à travers ces trous 2 cordelettes d'un mètre de long chacune. Fixez une perle de bois à chaque extrémité des deux cordelettes.

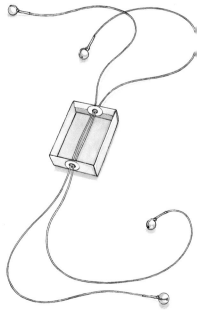

Boîte n°4

Eléments du jeu: 8 billes d'argile de 2 couleurs différentes (4 de chaque couleur) et un morceau de carton fort aux dimensions du fond de la boîte. Percez dans le tiers supérieur du carton un trou un peu plus petit que le diamètre d'une bille (feuille de modèles).

Découpez dans le fond de la boîte une fente étroite de la dimension de la largeur du morceau de carton.

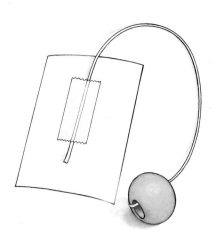

Boîte n°7

Eléments du jeu: 6 petits bâtonnets de bois de deux couleurs différentes (3 de chaque couleur; le cas échéant, coupez en deux un bâtonnet plus long).

Découpez un carton pour photos en suivant le modèle; tracez les 4 lignes perpendiculaires et percez 9 trous aux dimensions des bâtonnets.

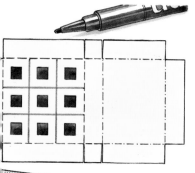

Règles du jeu

Boîte n°1: "Mini-pétanque"
Chaque joueur dispose de 5 billes qu'il lance en direction d'un "cochonnet" placé auparavant à une certaine distance. Les billes doivent s'arrêter aussi près que possible de la bille-"cochonnet". Les joueurs lancent une bille tour à tour; le gagnant est celui dont la bille se trouve le plus près du "cochonnet". Celle-ci vaut 5 points, les suivantes rapportent 3, 2 et 1 points.

Boîte n°2: "Tir au but"
La bille doit tomber à l'intérieur de la boîte; plus l'ouverture est étroite, plus le nombre de points est élevé. On compte les points qui sont le plus près du couvercle.

Boîte n°3: "Jeu des anneaux"
Chaque joueur a droit à trois tours. Le but est d'obtenir le maximum de points. Seuls comptent les anneaux qui tombent sur le bâtonnet.

Boîte n°4: "Catapulte"
Bâtissez une tour avec les boîtes d'allumettes. Placez le carton dans la fente de la boîte et placez cette catapulte à une distance convenue. Le but est de renverser la tour. On attribue des points selon le nombre de boîtes qui sont tombées.

Boîte n°5: "Pile ou face"
Chaque joueur reçoit trois bâtonnets. Chacun en cache 3, 2 ou 1 au creux de sa main sans que les autres joueurs le voient. Tour à tour, les joueurs essaient de deviner le nombre de bâtonnets dans leurs mains. Celui qui se rapproche le plus de la réalité a gagné.

Boîte n°6: "Flip-flop"
Chacun des 2 joueurs tient une perle de bois dans chaque main. Ils se passent mutuellement la boîte en écartant et en resserrant les cordelettes, le plus vite possible. Le vainqueur est celui qui réussit le plus longtemps à garder les perles en main.

Boîte n°7: "Marelle assise"
Les règles sont celles de la marelle assise normale. Chaque joueur déplace ses trois pions en essayant de les aligner à la verticale ou à l'horizontale. Il n'est pas permis de prendre des pions à son adversaire. Le premier qui a aligné une rangée de trois a gagné.

Boîte n°8: "Osselets"
Chaque joueur a droit à trois tours; il doit essayer d'obtenir le nombre de points le plus bas ou le plus élevé. Le premier joueur décide, après avoir lancé les dés, s'il faut viser "haut" ou "bas". Le gagnant du tour est celui qui a obtenu le nombre de points le plus bas ou le plus élevé.

Boîte n°9 : "Puzzle"
Le 9e jeu est le puzzle à reconstituer avec les 9 boîtes.

Boîte n°8
Éléments du jeu: trois dés miniatures

Boîte n°9
Les règles du jeu sont toutes simples. Copiez-les et placez-les au fond de la grande boîte.

Bientôt Noël !

Les ouvrages réalisés pendant l'Avent
sont une manière d'attendre et
de préparer activement la fête de Noël.
Bricoler, seul ou en famille, crée déjà
une ambiance de fête.
Le travail terminé décorera votre
chambre ou fera un superbe cadeau !

Anneau pour serviettes en papier dor

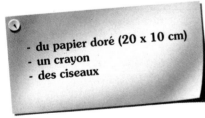

- du papier doré (20 x 10 cm)
- un crayon
- des ciseaux

Même les benjamins de la famille n'auront guère besoin d'aide pour réaliser ces belles décorations pour la table du réveillon. Et les enfants plus âgés s'amuseront tout autant à les faire.

1. Reportez le modèle de la page 224 sur le papier doré. Vous n'avez pas besoin de papier-calque: Placez la feuille de papier doré directement sous le modèle à reproduire et suivez les contours avec un crayon. Veillez à ce que le papier ne glisse pas.

2. Retirez la feuille de papier doré. Toutes les lignes se voient en relief et vous pouvez les découper. N'oubliez pas d'inciser les deux fentes aux extrémités.

3. Réunissez les extrémités de l bande de manière à former u anneau. Passez délicatement le deux incisions l'une dans l'autre.

A présent, ajustez délicatement l'éto le et passez une serviette de couleu appropriée dans l'anneau. Joyeu Noël !

Botte du Père Noël

- du carton (12 x 8 cm)
- du papier-calque
- un crayon
- des ciseaux
- de la colle universelle
- du papier métallisé
  (17 x 12 cm et 15 x 11 cm)
  ou du papier décoratif
  à motifs de Noël
- une règle
- un rouleau de papier
  hygiénique vide
- du papier collant
- de l'ouate

Réaliser la botte du Père Noël est à la portée des plus jeunes bricoleurs. Ils pourront aussi peindre la base en carton de la botte.

1. Reportez la semelle de la botte de la feuille de modèles sur un morceau de carton et découpez-la.

2. Dans un rouleau de papier métallisé, découpez un morceau de 17 x 12 cm et un autre de 15 x 11 cm.

3. Incisez la base du rouleau avec des ciseaux. Les encoches doivent avoir 1 cm de long et être espacées de 1,5 cm. Incisez ainsi tout le pourtour du rouleau.

4. Repliez les languettes obtenues vers l'intérieur.

5. Collez sur le rouleau le grand morceau de papier métallisé. Attention: le bord inférieur doit coïncider très exactement avec la base du rouleau, pour que le carton soit parfaitement invisible.

6. Repliez vers l'intérieur le bord de papier métallisé qui dépasse au sommet du rouleau.

7. Collez la semelle au milieu du petit morceau de papier métallisé.

8. Incisez avec précaution le bord du papier métallisé en partant du bord jusqu'à la semelle en carton.

9. Repliez les languettes ainsi formées sur l'envers.
Collez les languettes sur l'envers du carton avec du papier collant.
Si vous voulez soigner tout particulièrement votre travail, découpez une seconde semelle dans du papier métallisé et collez-la sur l'envers du carton pour recouvrir le papier collant.

10. Collez les languettes repliées du rouleau sur la semelle.

11. Collez une grande boule d'ouate à la pointe de la botte.

12. Décorez d'ouate le rebord supérieur du rouleau de carton. Collez un morceau d'ouate sur tout le pourtour en l'étirant en longueur.

Le Père Noël peut venir: attendez-le de pied ferme !

Étoile-vitrail en papier de soie

- des restes de papier à dessin
- du papier parchemin
- des chutes de papier de soie
- un crayon
- des ciseaux
- un bâton de colle
- un ruban adhésif

Accrochée à la fenêtre, cette étoile transparente produit un effet spectaculaire. Même un enfant de quatre ans peut réaliser ce vitrail multicolore, pour peu qu'un enfant plus âgé l'aide à construire le cadre en papier à dessin.

1. Reportez le modèle de l'étoile à six branches de la page 211 sur du papier à dessin.

2. Découpez l'étoile. Pour pouvoir découper l'intérieur, enfoncez la pointe des ciseaux au milieu de l'étoile et découpez le papier jusqu'aux pointes. Le cadre est terminé.

3. Collez à présent le cadre de papier à dessin sur du papier parchemin et découpez ce dernier en suivant les contours de l'étoile.

4. Retournez l'étoile pour que le cadre soit sur la table, avec le côté recouvert de papier parchemin tourné vers le haut.

5. Déchirez des chutes de papier de soie en petits morceaux et collez-les

les uns près des autres, en les superposant par endroits, sur le papier parchemin.

Lorsque l'étoile est accrochée à la fenêtre, la lumière fait apparaître de nouvelles nuances de couleurs. Vous n'avez pas besoin de recouvrir le cadre, puisque vous le regarderez de l'autre côté.

6. Collez l'étoile sur la vitre d'une fenêtre avec deux morceaux de papier collant. Les bouts de papier de soie se trouvent tout contre la vitre et le cadre est visible de l'autre côté.

Lorsque les rayons du soleil viennent visiter votre fenêtre, l'étoile-vitrail fait resplendir ses mille couleurs !

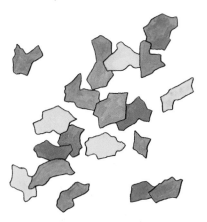

Mobile de cloches

- du papier à dessin
- un crayon
- du papier-calque
- des ciseaux
- de la colle universelle
- du fil
- une aiguille

Vous pouvez réaliser ces cloches en papier métallisé.

1. Commencez par replier le bord du papier à dessin vers l'intérieur, à environ 8 cm du bord, pour travailler sur une double couche de papier.
Décalquez les 6 demi-cloches de la page 222. Reportez-les sur le papier à dessin en les plaçant exactement sur le pli. Dessinez-les et découpez-les dans les deux couches. Comme vous aurez besoin de deux exemplaires de chaque modèle, répétez encore une fois toute l'opération.

2. Vous avez maintenant devant vous 3 formes creuses et 3 formes pleines, pliées dans le sens de la longueur. Assemblez les cloches de mêmes dimensions pli contre pli pour que les 4 demi-cloches indiquent des directions opposées. Collez de cette manière les 6 cloches.

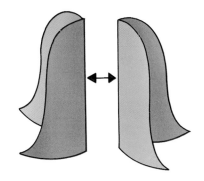

3. Passez maintenant à la suspension. Commencez par la cloche la plus petite. Enfilez une aiguille et faites un nœud à l'extrémité du fil. Ensuite, passez le fil dans le papier à dessin et tirez-le jusqu'au nœud.

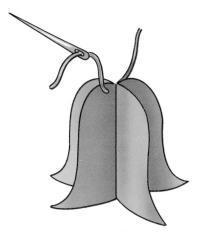

4. Accrochez la petite cloche à la plus petite des formes creuses, en passant le fil deux à trois fois à travers le papier à dessin.

5. Procédez de la même façon pour fixer le fil au bas de la cloche de grandeur moyenne. Coupez le fil. L'intervalle entre les deux cloches peut être de 3 à 4 cm.

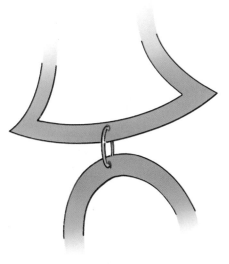

6. Ensuite, attachez la cloche moyenne à la forme creuse correspondante, puis au bas de la grande cloche.

7. Attachez la grande cloche à la grande forme creuse. Tirez le fil vers le haut et faites une boucle pour pouvoir accrocher votre mobile. Les cloches peuvent se mettre à sonner !

Père Noël à surprises

Qu'il serve à emballer un cadeau de Noël ou à décorer un calendrier de Avent, ce Père Noël apportera certainement tout un sac de surprises.

1. Avec du papier-calque et un crayon, reportez les modèles du couvercle et de l'intérieur de la boîte de la feuille des modèles sur le papier à dessin. N'oubliez pas de reproduire les pointillés.

2. Découpez la boîte et pliez les parois en suivant les pointillés.

3. Vous pouvez essayer de monter une boîte en repliant les petits triangles à l'intérieur.

4. Enduisez ces triangles de colle et collez-les solidement à la paroi qu'ils touchent. Assemblez le second élément de la boîte de la même manière.

5. Poussez les deux moitiés de la boîte l'une dans l'autre. Collez le visage du Père Noël sur la plus grande des deux.

6. Reportez les éléments ci-contre sur du papier blanc et découpez-les.

7. Découpez les franges de la barbe et collez la partie intacte sur le visage, à peu près à mi-hauteur de la boîte.

8. Dessinez les pupilles des yeux au crayon-feutre et collez les yeux au-dessus de la barbe en laissant un espace entre les deux.

9. Dessinez sous les yeux un nez rond qui déborde un peu sur la barbe.

10. Il ne reste plus qu'à coller le rebord blanc de la capuche et un cercle de papier blanc en guise de pompon.

Le Père Noël est terminé: vous pouvez le remplir de petits cadeaux ou de sucreries.

Patron à décalquer

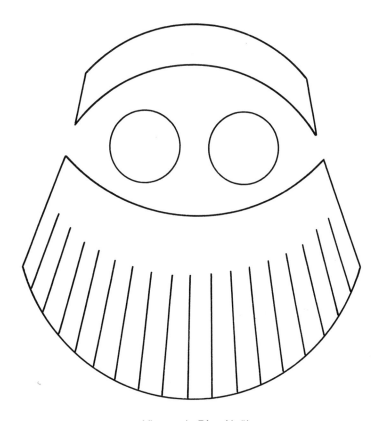

Visage du Père Noël

Un sapin mobile

Ce mobile de circonstance peut décorer un mur ou une fenêtre.
Les différents éléments sont faciles à découper. Au moment de les coller sur les fils, vous devrez travailler avec beaucoup de soin.

Reportez les modèles ci-contre sur un morceau de carton et découpez-les pour faire des patrons.

Chaque motif doit être découpé deux fois, puisque le fil sera collé entre les deux faces. Pour cela, pliez le papier à dessin pour obtenir une double bande d'environ 7 cm de large.
Pour que les deux faces d'un motif soient parfaitement identiques, dessinez-les sur le papier à dessin en suivant les contours du patron et en posant l'un des bords sur le pli du papier. Dessinez ainsi 6 anges, 11 étoiles et 8 sapins.

Découpez les motifs en laissant les deux faces attachées à l'endroit du pli (vous couperez plus tard les morceaux en trop).

Disposez les motifs (doubles) de manière à composer la forme d'un arbre de Noël.

5. Pour les accrocher, prenez 7 fils doubles de 1,20 m de long. Pour chaque rangée, placez un fil dans les motifs ouverts (la boucle vers le haut !) et fixez-le avec un point de colle. Ensuite, enduisez chaque motif d'une fine couche de colle, collez les deux faces ensemble et coupez l'excédent à l'endroit du pli.

6. Pour disposer facilement les fils sur la baguette, placez celle-ci entre les dossiers de deux chaises.
Répartissez les fils à intervalles réguliers et fixez-les avec un point de colle ou un morceau de papier collant

7. Accrochez la baguette au mur à l'aide de deux fils fixés aux extrémités. Si le mobile doit pouvoir tourner, les deux fils doivent être réunis au milieu et accrochés au plafond.

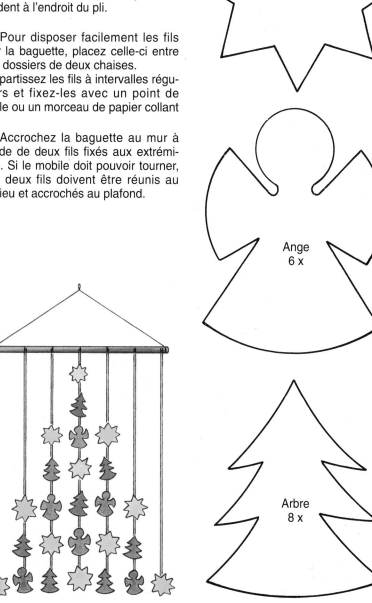

Etoile
11 x

Ange
6 x

Arbre
8 x

Crèche en pâte à sel

n attendant Noël, c'est si gai de
asseoir à une table, pendant l'Avent,
 de faire naître sous vos doigts une
èche en pâte à sel !
e matériau qui ne coûte presque rien
st pourtant très facile à façonner. Les
stes se conservent bien et pourront
re utilisés pour d'autres créations.
orsqu'elle est sèche, vous pouvez
isser votre crèche telle quelle, la
eindre ou la recouvrir de peinture
orée en spray.
ccrochez votre crèche au mur ou
frez-la. Pour la préparation et le
échage de la pâte à sel, reportez-
us au chapitre "Fête des Mères" à
 page 91.

, Prenez deux rouleaux de pâte à
el de 1 cm d'épaisseur pour 24 cm
e long et pressez leurs 2 extrémités
nsemble. Ensuite, tordez-les en les
açant l'un sur l'autre. Voici déjà l'un
es côtés du toit: une torsade de
3 cm de long.

, Prenez deux rouleaux de 1,5 cm
épaisseur pour 6 à 8 cm de long
our faire les murs. Le rouleau qui for-
e le sol a également 1,5 cm d'épais-
eur, mais 15 cm de long.

, Découpez l'étoile au moyen du
oule et la queue avec un couteau.
acez la queue de la comète sur le
it de la crèche en appuyant un peu
vant d'y fixer l'étoile.

, Avec le cure-dents, percez 2 trous
ans l'épaisseur de l'étoile pour pou-
oir y passer plus tard le fil qui servi-
 à accrocher la crèche.

, Formez les corps de Marie et de
oseph comme suit : 1 boule pour le
sage, 1 rouleau pour les cheveux et
 petite boule pour la main. Ajoutez à
oseph un bâton qu'il tient en main.
ormez les visages avec un cure-
ents. Placez l'enfant entre les deux
ersonnages. Il a également une
te, un corps et des cheveux.

- 1 tasse de farine, 2 tasses de sel, 1 tasse d'eau
- une terrine
- un rouleau à pâtisserie ou une bouteille
- un couteau
- du papier sulfurisé
- une plaque à gâteaux
- un cure-dents
- un moule-étoile à découper
- une aiguille à tricoter
- des peintures acryliques ou de la peinture dorée en spray
- du vernis transparent
- un fil doré ou du ruban pour cadeaux

6. Les moutons de part et d'autre de la crèche sont formés d'un corps allongé et d'une tête sur laquelle vous enfoncerez une oreille.
Piquez le corps de chaque mouton à plusieurs reprises avec le cure-dents. Si vous voulez, vous pouvez ajouter des pattes à votre mouton. Il suffit pour cela de fixer deux petits rouleaux au-dessous du corps.
Pour que les moutons tiennent bien au rouleau qui forme le sol, fixez sous chacun d'eux un petit morceau de pâte à sel qui doit demeurer invisible.

7. Disposez la crèche sur la plaque à gâteaux et mettez-la au four à environ 100° pour 2 heures. Laissez la porte du four entrouverte. Ce procédé, appliqué à toutes les réalisations en pâte à sel, leur donne une plus grande durabilité.

8. Après le séchage au four, peignez vos personnages. Recouvrez d'abord votre plan de travail et mettez un tablier. A vous de décider de l'aspect définitif de vos personnages.
Lorsqu'ils sont peints, enduisez-les d'une couche de vernis, en veillant à vernir d'abord l'envers de la crèche. Pour terminer, accrochez votre crèche à un joli fil à paillettes ou à un ruban.

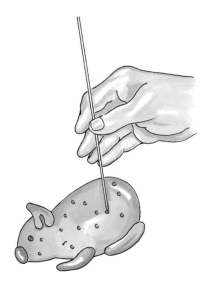

Index

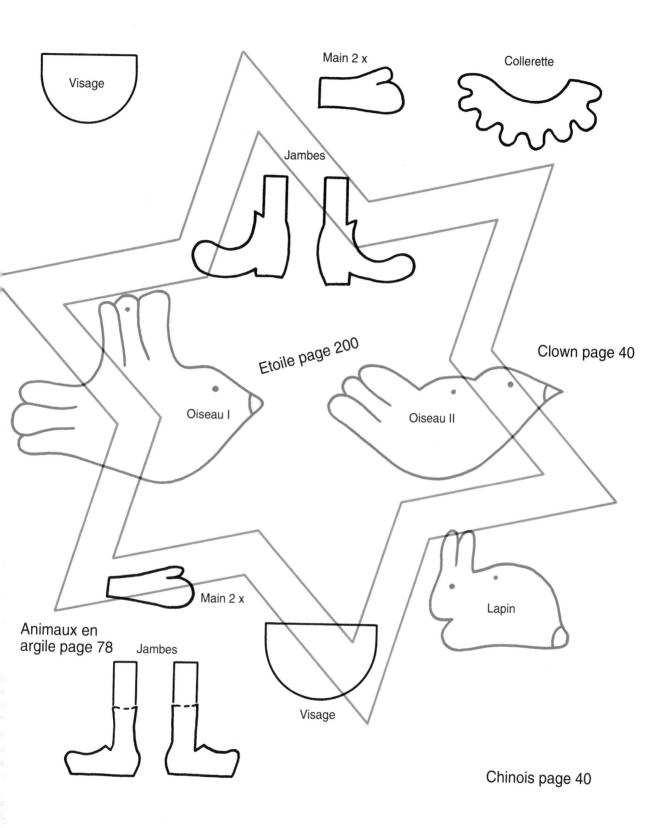

Visage

Main 2 x

Collerette

Jambes

Etoile page 200

Clown page 40

Oiseau I

Oiseau II

Main 2 x

Lapin

Animaux en
argile page 78

Jambes

Visage

Chinois page 40

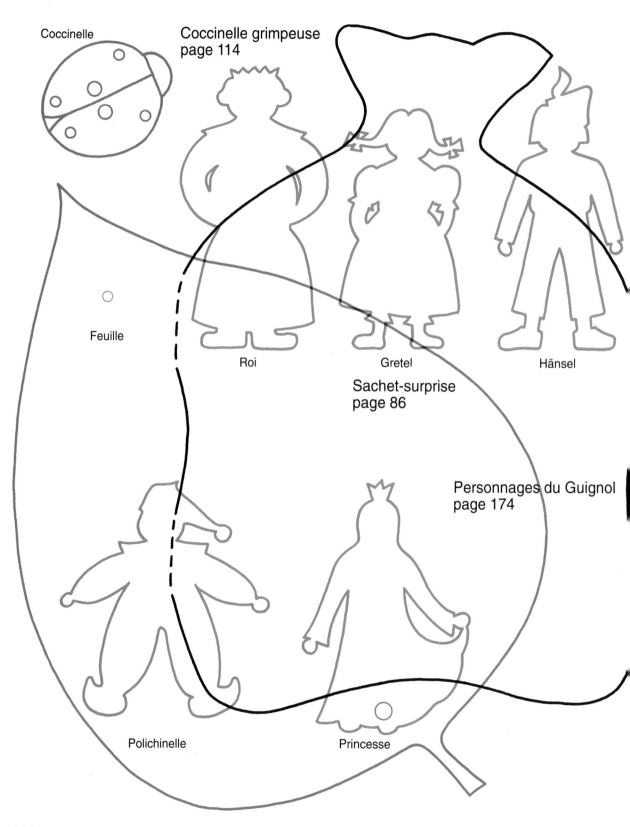

Coccinelle

Coccinelle grimpeuse
page 114

Feuille

Roi

Gretel

Hänsel

Sachet-surprise
page 86

Personnages du Guignol
page 174

Polichinelle

Princesse

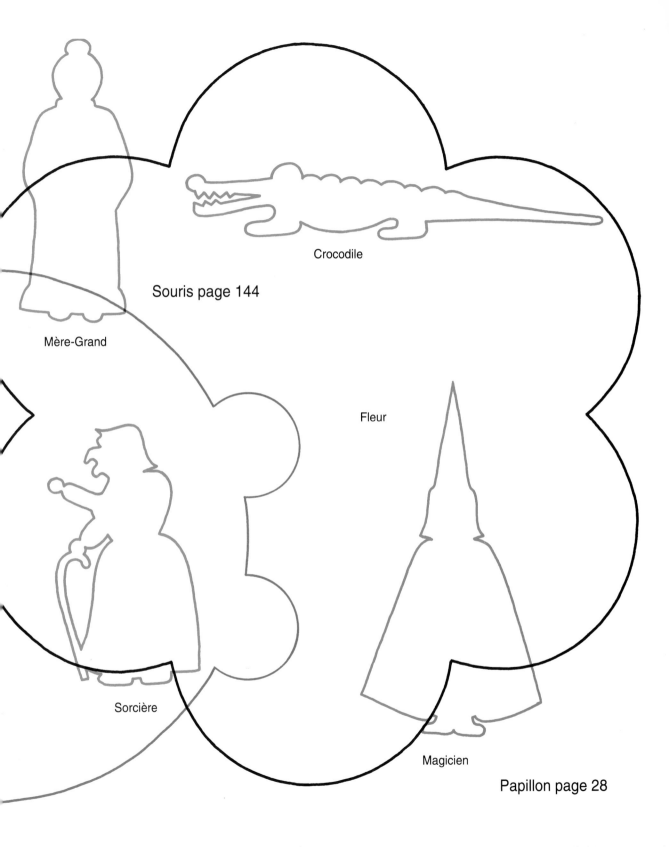

Crocodile

Souris page 144

Mère-Grand

Fleur

Sorcière

Magicien

Papillon page 28

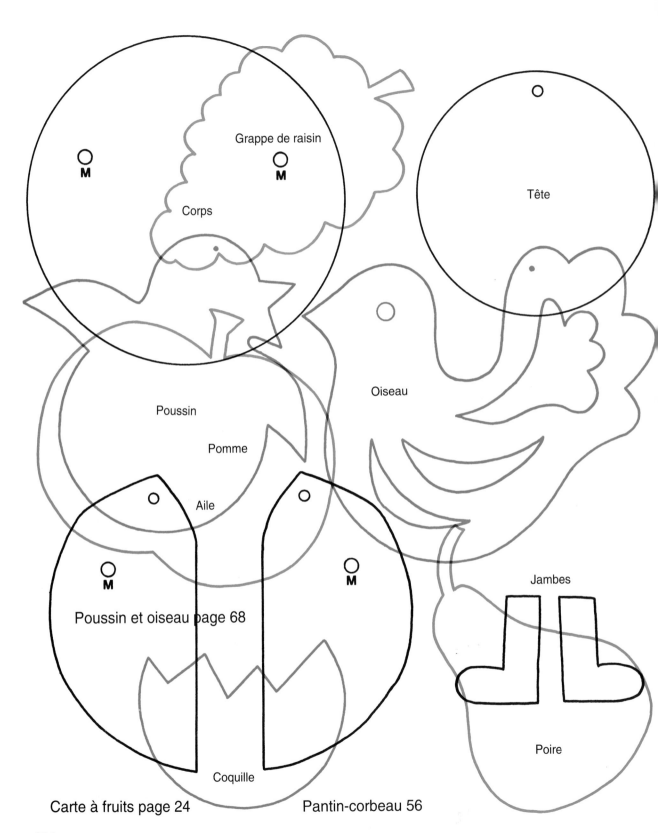

Grappe de raisin

Corps

Tête

Poussin

Oiseau

Pomme

Aile

Poussin et oiseau page 68

Jambes

Poire

Coquille

Carte à fruits page 24

Pantin-corbeau 56

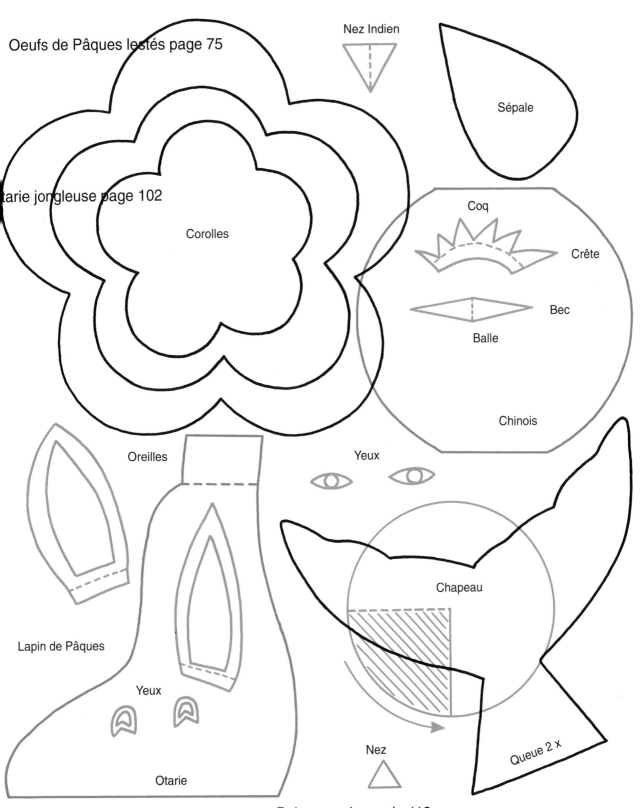

Oeufs de Pâques lestés page 75

...tarie jongleuse page 102

Nez Indien

Sépale

Corolles

Coq

Crête

Bec

Balle

Chinois

Oreilles

Yeux

Lapin de Pâques

Yeux

Chapeau

Nez

Queue 2 x

Otarie

Poisson gobe-perle 112

215

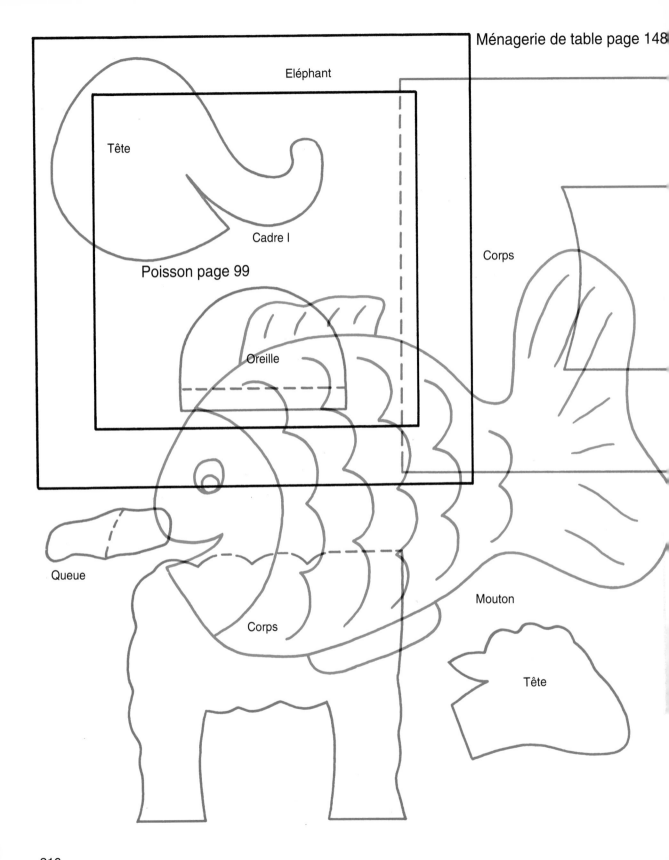

Ménagerie de table page 148

Eléphant

Tête

Cadre I

Poisson page 99

Corps

Oreille

Queue

Corps

Mouton

Tête

216

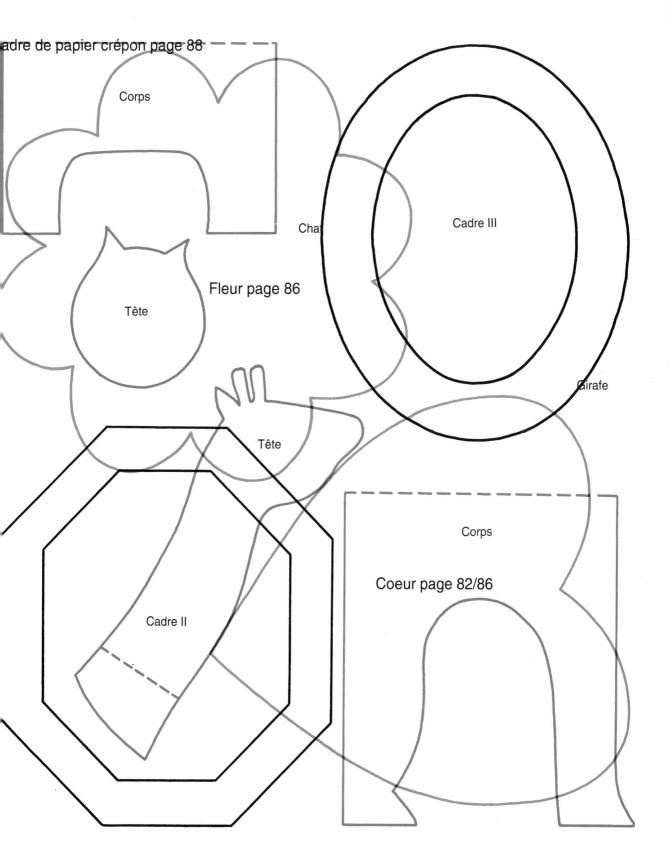

adre de papier crépon page 88

Corps

Cha

Cadre III

Tête

Fleur page 86

Girafe

Tête

Corps

Cadre II

Coeur page 82/86

Personnages page 172

Bec

Polichinelle

Yeux 2 x

Brigand

Pieds

Mère-Grand

Oiseau-ballon page 118

Aile supérieure 2 x

Paon batik page 116

Corps

Aile inférieure

Fillette

Vignette pour le nom 2 x

Papillon page 154

Corps 2 x

Roi

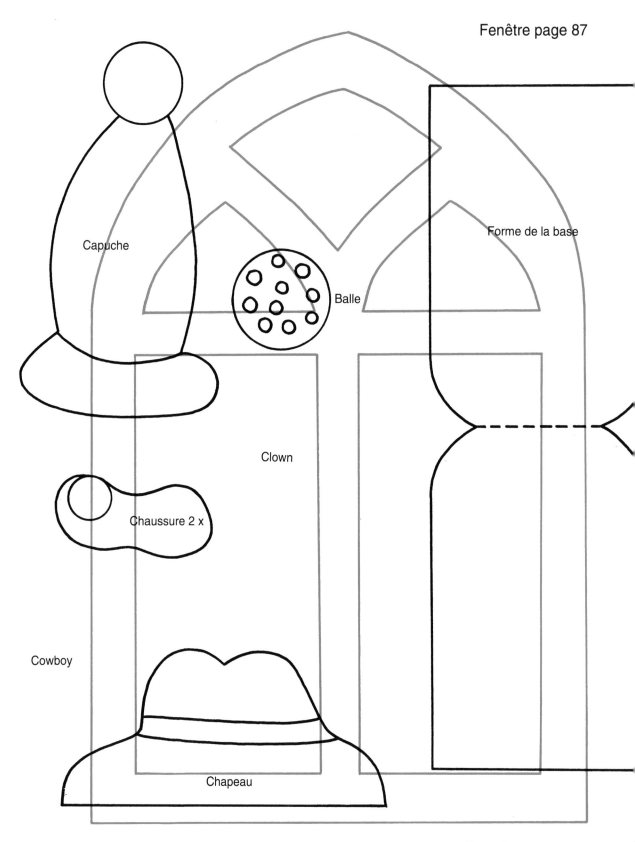

Capuche

Balle

Forme de la base

Clown

Chaussure 2 x

Cowboy

Chapeau

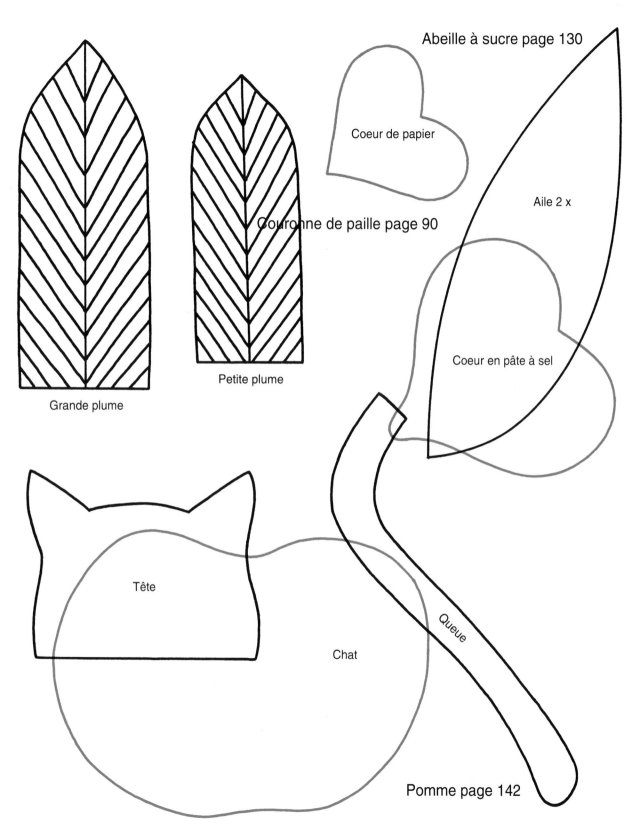

Grande plume

Petite plume

Coeur de papier

Couronne de paille page 90

Abeille à sucre page 130

Aile 2 x

Coeur en pâte à sel

Tête

Chat

Queue

Pomme page 142

221

Jeu de dés page 182

Mobile de cloches 202

Toise page 63

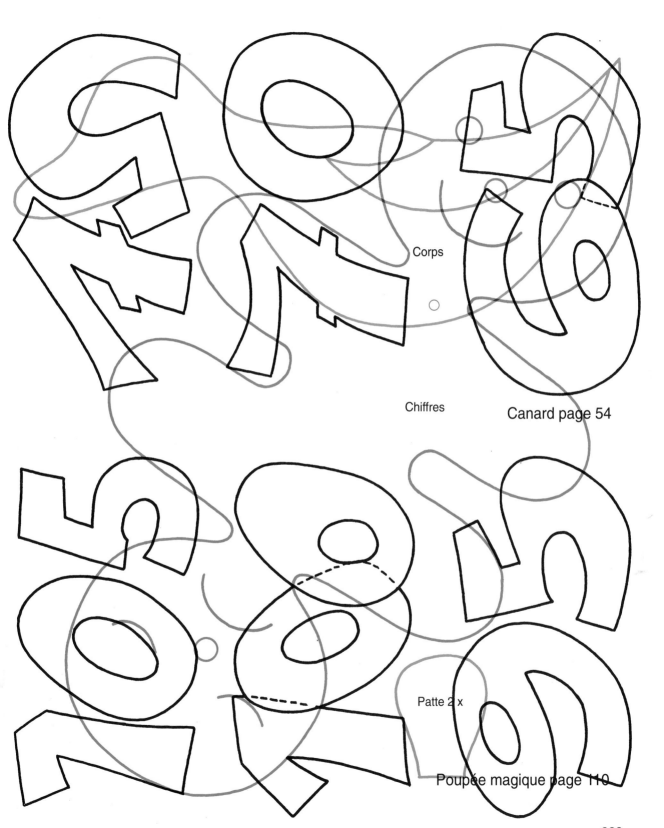

Corps

Chiffres

Canard page 54

Patte 2 x

Poupée magique page 110

223

Etoile de mer

Fente pour la coulisse

Rouleau intérieur

Rouleau extérieur

Coquillage

Coulisse
Poisson

Chaussure

Roue arrière de la locomotive

Anneau de serviette page 19

Partie de pêche page 156

Locomoboîte 136

Imprimé en Belgique par Casterman, s.a., Tournai. Dépôt légal : octobre 1992 ; D. 1992/0053/138.
Déposé au Ministère de la Justice, Paris (loi n° 49.956 du 16 juillet 1949 sur les publications destinées à la jeunesse).